AVENIDA BRASIL 1

Livro de exercícios

De:

Emma Eberlein O.F. Lima
Lutz Rohrmann
Tokiko Ishihara
Cristián González Bergweiler
Samira Abirad Iunes

Projeto, coordenação e fotos

Lutz Rohrmann

Ilustrações

Ornaldo Fleitas

E.P.U. EDITORA PEDAGÓGICA E UNIVERSITÁRIA LTDA.

AVENIDA BRASIL

Curso básico de Português para estrangeiros

De:

Emma Eberlein O.F. Lima, professora de Português para estrangeiros em São Paulo.
Co-autora de: Falando Lendo Escrevendo Português — Um curso para estrangeiros (EPU);
Português Via Brasil — Curso avançado para estrangeiros (EPU); Inglês — Telecurso de
Segundo Grau (Fundação Roberto Marinho).
Diretora da Polyglot — Cursos de Português para estrangeiros em São Paulo.

Lutz Rohrmann, professor de Inglês e Alemão para estrangeiros.
Coordenador de projetos de livros didáticos. Co-autor de: Sprachbrücke Brasilien —
Curso de alemão para brasileiros (EPU); Ler faz a cabeça — Coletânea de textos de
leitura em Português para estrangeiros (EPU).

Tokiko Ishihara, professora do Departamento de Letras Modernas da Universidade de São
Paulo. Foi professora de Português no Centro de Lingüística Aplicada de Besançon.

Cristián González Bergweiler, professor de Português e Alemão para estrangeiros
Participação a partir da lição 5

Samira Abirad Iunes, professora do Departamento de Letras Modernas da Universidade de
São Paulo.
Co-autora de: Falando Lendo Escrevendo Português — Um curso para estrangeiros (EPU);
Português Via Brasil — Curso avançado para estrangeiros (EPU). Participação até Lição 5.

Agradecemos à Prof.ª Norma Hochgreb pela leitura crítica da parte de Fonética.

Projeto e coordenação
Lutz Rohrmann

Projeto visual
Ornaldo Fleitas, professor e ilustrador (ilustrações) e
Lutz Rohrmann (diagramação e fotografia).

Capa: Ornaldo Fleitas; fotos: Lutz e Sybille Rohrmann

6ª reimpressão

ISBN 85-12-**54702**-2

E. P. U. - **Telefone** (011) 829-6077 - **Fax.** (011) 820-5803
E-Mail: vendas@epu.com.br **Site na Internet:** http://www.epu.com.br
Rua Joaquim Floriano, 72 - 6º andar - conjunto 65/68
04534-000 São Paulo - SP

Impresso no Brasil
Printed in Brazil

Sumário

Lição 1.. 5
Lição 2.. 12
Lição 3.. 19
Lição 4.. 25
Lição 5.. 33
Lição 6.. 42
Revisão... 51
Lição 7.. 54
Lição 8.. 63
Lição 9.. 74
Lição 10.. 84
Lição 11.. 98
Lição 12.. 108
Revisão... 120
Textos dos exercícios de audição 125
Soluções 131
Fontes 143

Símbolos utilizados em **Avenida Brasil**

	diálogo/texto na fita
	escreva no livro
	escreva no caderno
	exercício de leitura
	exercício de audição
	trabalho com o dicionário

1 Seu nome A1
A2

Complete os diálogos.

a)

Bom dia!

seu nome?

_____

Tuta.

b)

_____ tarde!

_____

_____ ?

_____ ?

Miguel
Reich-Ranitzki

R-E-I-C-H hífen
R-A-N-I-T-Z-K-I

2 Nacionalidade, profissão, residência A3
A4

1. Ele ou ela?
Complete com as nacionalidades.

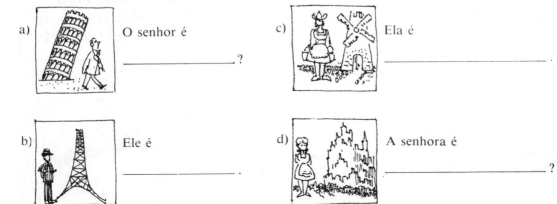

a) O senhor é
_____ ?

b) Ele é
_____

c) Ela é
_____

d) A senhora é
_____ ?

2. Complete o diálogo com as palavras certas.

trabalha — não — sou — jornalista — médico — Banco do Brasil — Lisboa — moro em — médica — portuguesa — francês — onde — Bordeaux

○ _Onde_ você mora?

● _____ Lisboa.

○ Você é _____ ?

● _____, não sou. Sou brasileira.

○ _____ você trabalha?

● Trabalho no hospital. Sou _____ .

3. Responda.

Exemplo:
O sr. é americano?

— _Não, não sou_

+ _Sou sim._

a) Ele é brasileiro?

— _____ .

+ _____ .

b) A senhora é alemã?

— _____ .

+ _____ .

c) O senhor é holandês?

— _____ .

+ _____ .

4. Qual é a pergunta?

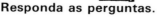

a) _____ ?   Sim, sou brasileiro.

b) _____ ?   Não, ele é americano.

c) _____ ?   Meu nome é Fernando.

d) _____ ?   Não, a jornalista é portuguesa.

e) _____ ?   Ela se chama Vera.

5. E você?
Responda as perguntas.

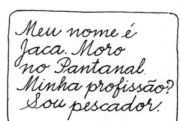

Meu nome é Jaca. Moro no Pantanal. Minha profissão? Sou pescador.

Como você se chama?
Você é brasileiro(a)?
O que você é?
Onde você trabalha?
Onde você mora?

1. Complete.

Meu nome ____
Helmut Raffel
Eu _____ da
Alemanha.
Pat _____ ameri
cana.
Nós moramos
no Brasil.
Félix e Míriam
_____ brasileiros.

Ele ____ alemão.
_____
_____ americana.
_____
_____ brasileiros.

Nós _____ brasileiros.

2. Responda.

O Helmut é brasileiro? _____ .

E Pat? _____ .

Felix e Míriam são brasileiros? _____ .

3. Responda.

a) Ela é brasileira?

Não, ela não é brasileira, ela é japonesa.

b) Ele é professor?

_____

c) Eles são secretários?

_____

d) Você é médico(a)?

_____

7

4 Verbos regulares em *-ar*

Que língua eles falam?

a) Eu sou brasileiro. Eu *falo português* .

b) Ele é americano. Ele _____ _____ .

c) Ela é alemã. Ela _____ _____ .

d) Eles são franceses. Eles _____ _____ .

e) Nós somos ingleses. Nós _____ _____ .

 E você? _____ .

5 Trabalhar, morar + em, no, na

1. Complete com *trabalhar*.

a) Sou médico, eu _____ _____ Hospital Geral.

b) Ele é professor, ele _____ _____ Instituto de Línguas 'Babel'.

c) Nós somos cozinheiros, nós _____ _____ Restaurante Tropeiro.

d) Ela é jornalista, ela _____ _____ 'Folha de São Paulo'.

2. Complete com *morar*.

a) Luígi é italiano. Ele _____ _____ Milão, _____ Itália.

b) Nadine e Chantal são francesas. Elas _____ _____ Besançon, _____ França.

c) Eu sou brasileiro. Eu _____ _____ Olinda, _____ Brasil.

d) Somos americanos. Nós _____ _____ Buffalo, _____ Estados Unidos.

 E você? _____

Belém do Pará

Olinda (Pernambuco)

1. Leia os dados e identifique as pessoas nas fotos.

a

b

c

d

(1) Nome: Antonio Viganó
Estado civil: casado
Nacionalidade: italiano
Residência: Milão
Profissão: mecânico
Local de trabalho: Fiat

(2) Nome: Adelita Martinez
Estado civil: solteira
Nacionalidade: argentina
Residência: Mendoza
Profissão: estudante

(3) Nome: Maurício de Assis
Estado civil: casado
Nacionalidade: brasileiro
Profissão: advogado e
professor universitário

(4) Nome: Irene Meyer
Estado civil: casada
Nacionalidade: alemã
Residência: Mannheim
Profissão: médica
Local de trabalho:
Hospital Municipal

2. Escolha duas das pessoas nas fotos e, num parágrafo, escreva o que sabe sobre elas.

1. Preencha a ficha com seus dados pessoais.

FEDERAÇÃO DE
HOTÉIS, RESTAURANTES, BARES E
SIMILARES DO EST. DE S. PAULO

FHORESP

fnrh
FICHA NACIONAL DE REGISTRO DE HÓSPEDES

GOVERNO DO ESTADO
SECRETARIA DE SEGURANÇA PÚBLICA

MINISTÉRIO DO DESENVOLVIMENTO DA INDÚSTRIA E DO COMÉRCIO

EMBRATUR
EMPRESA BRASILEIRA DE TURISMO

01 NOME COMPLETO · FULL NAME		
02 PROFISSÃO · OCCUPATION	03 NACIONALIDADE · NATIONALITY	04 IDADE · AGE 05 SEXO · SEX M 0 F 2
06 DOCUMENTO DE IDENTIDADE · TRAVEL DOCUMENT NUMERO / NUMBER TIPO / TYPE	ÓRGÃO EXPEDIDOR ISSUING COUNTRY	
07 RESIDÊNCIA PERMANENTE · PERMANENT ADDRESS	CIDADE ESTADO CITY, STATE	PAÍS · COUNTRY
08 ÚLTIMA PROCEDÊNCIA · ARRIVING FROM (CIDADE, PAÍS · CITY, COUNTRY)	09 PRÓXIMO DESTINO · NEXT DESTINATION (CIDADE, PAÍS · CITY, COUNTRY)	
10 MOTIVO DA VIAGEM · PURPOSE OF TRIP TURISMO/TOURISM 7 NEGÓCIO/BUSINESS 9 CONVEÇÃO/CONVENTION 2 OUTRO/OTHER 4	11 MEIO DE TRANSPORTE · ARRIVING BY AVIÃO/PLANE 6 NAVIO/SHIP 8 AUTOMÓVEL/CAR 0 ÔNIBUS · TREM/BUS · TRAIN 1	
12 ASSINATURA DO HÓSPEDE GUEST'S SIGNATURE		
13 ENTRADA DATA HORA	14 SAÍDA DATA HORA	15 ACOMPANHANTES 1 16 UH N
17 FNRH	18 REGISTRO	19 PARA USO DA EMBRATUR CÓDIGO PAIS 1 CÓDIGO PROF 3 CÓDIGO PROCED 5 CÓDIGO DESTINO 7

FAVOR USAR ESFEROGRÁFICA E LETRA DE FORMA

PLEASE USE BALL POINT AND BLOCK LETTERS

2. Leia o texto e preencha a ficha.

John Robert Murray, correspondente do New York Times, trabalha no Palácio da Alvorada, em Brasília.**Ele nasceu** em Nova York, em 21 de setembro de 1949. Fez o curso de Comunicações na Universidade da Califórnia, em Berkeley. De 1974 até 1982 trabalhou no Washington Post. Depois passou a trabalhar no New York Times. Ele mora no Brasil há 5 anos. Ele fala bem português, mas escreve suas notícias em inglês.
É casado e tem dois filhos. Ele joga tênis, faz cooper regularmente e gosta de música popular americana e brasileira.

Nome: _____

Idade: _____ Data de nascimento: _____

Nacionalidade: _____

Estado civil: _____ Profissão: _____

Local de trabalho: _____

Residência permanente (cidade): _____

Línguas que fala: _____

Hobbies: _____

D2

8 Jornal da Tarde

Hoje estamos falando com o Sr. Clark...

1. Ouça o diálogo.

O senhor Clark
a) é inglês.
b) mora na Inglaterra.
c) trabalha na Universidade.
d) trabalha com turistas.

	certo	errado

2. Preencha o cartão de identificação do Sr. Clark.

Nome _____ , _____
                    sobrenome   nome

Nacionalidade _____

Residência atual _____

Trabalho anterior _____

Trabalho atual _____

Trabalho no Brasil _____

1. Ouça a fita e escreva os números em algarismos.

a)

b)

c)

2. Some e escreva por extenso.

MERCADO INTERNACIONAL

Nova York - disponíveis: transferências bancárias ao Exterior incluindo-se as comissões; cotações do dólar em relação às moedas listadas. Londres - cotações da libra frente às demais moedas. Zurique - disponível, transferências bancárias ao Exterior. Francos suíços e quatro decimais por um dólar estadunidense, por uma libra esterlina e por um dólar canadense. Para as demais moedas, as cotações em francos suíços correspondem a cem unidades.

Cotações de Compra

	Nova York*	Londres	Zurique
Libra esterlina	1,6210	-.-	-.-
Dólar americano	-.-	1,6165	-.-
Dólar canadense	1,1804	1,9025	-.-
Marco alemão	1,6975	2,7520	-.-
Florim holandês	1,9121	3,0990	-.-
Franco suíço	1,5180	2,4610	-.-
Franco belga	35,27	57,14	-.-
Franco francês	5,7395	9,3015	-.-
Lira italiana	1.254	2.030	-.-
Iene japonês	152,20	246,59	-.-
Coroa dinamarquesa	6,5150	10,5235	-.-
Coroa norueguesa	6,5750	10,6690	-.-
Coroa sueca	6,1620	9,9740	-.-
Xelim austríaco	11,95	19,33	-.-
Escudo português	149,90	242,47	-.-
Peseta espanhola	109,11	176,52	-.-

* Cotações da manhã.
a conversão

trinta dólares

Lição 2

1 Agenda

1. Aqui está sua agenda. Complete os dias da semana e suas atividades.

Janeiro	dia	manhã	tarde	noite
S *egunda*	24	*trabalho*		*concerto: Villa-Lobos*
T	25		*médico*	
Q	26			
Q	27			
S	28			
S	29			
D	30	*almoço (Gregório)*		*cinema*

2. Escreva frases completas.

Hoje à tarde *eu vou jogar futebol*

Hoje _____

Amanhã de manhã eu _____

Segunda-feira _____

_____

_____

_____

2 Que horas são?

1. Escreva por extenso.

a) `16.30` *São quatro e meia* _____

b) `10.30` _____

c) `9.45` _____

d) `1.00` _____

e) `3.40` _____

f) `21.15` _____

g) `11.50` _____

h) `24.00` _____

Escreva as perguntas.

o _A que horas vamos almoçar ?_
• Vamos almoçar ao meio-dia.

o _____
• O filme é às 8 horas em ponto.

o _____
• O jantar é às 7 horas.

o _____
• Vou ao médico às 4 e meia.

o _____
• Ele vai ao escritório às 5 horas em ponto

1. Escreva as respostas.

a) Você pode ir ao banco às 3 horas?
   → tarde - reunião

Não posso, tenho uma reunião à tarde

b) Você pode telefonar para Luísa às 2 horas?
   → 2 horas - aula de ginástica
   _____

c) Você pode ir ao dentista de manhã?
   → manhã - supermercado
   _____

d) Você pode ir ao cinema amanhã de noite?
   → noite - teatro
   _____

Leia o texto e responda as perguntas.

a) Onde mora Alice?
_____

b) Onde ela trabalha?
_____

c) Qual é a profissão de Alice?
_____

d) Quando ela trabalha no escritório?
_____

e) A que horas ela almoça?
_____

f) Alice pode ir ao clube quarta-feira de manhã?
_____

g) Ela pode tomar café com Pedro, às 2 horas?
_____

h) Alice pode ir ao cinema de noite?
_____

Alice é secretária na 'Volvo' em Curitiba. Ela é uma pessoa muito ativa. Ela trabalha 20 horas por semana na 'Volvo' e à noite estuda psicologia na universidade.
Quarta-feira é um dia típico. Ela trabalha no escritório até meio-dia. À uma hora ela almoça e às 3 horas vai à aula de inglês. De noite ela estuda na biblioteca da universidade.

6 Pronomes demonstrativos e possessivos

1. Complete e...   **...escreva no plural.**

a) Este é o *meu/nosso* filho.   *Estes são os meus/os nossos filhos.*

b) Esta é a _____ amiga.   _____

c) _____ é o _____ irmão.   _____

d) _____ é a _____ professora.   _____

e) _____ diretor.   _____

f) _____ filha.   _____

7 Verbo irregular *ir* e futuro imediato

1. Complete com *ir*.

> **Vamos ou não? Parte 1**
>
> ○ Por que nós não _____ ?
>
> ● Você _____ mas eu não _____ !!
>
> ○ Por que não?
>
> ● Porque elas _____ !

2. Observe os desenhos e escreva a frase correspondente.

Eu vou trabalhar às 8 horas.

_____

_____

_____

8 Verbo irregular *poder*   B3

1. Complete com *poder*

Vamos ou não? Parte 2:

«Podemos ir?»

○ _____ ir? Já estamos atrasados.

● Você _____ mas eu não vou.

○ Por que nós não _____ ir juntos?

● Porque elas _____ estar lá.

9 *ir* ou *poder*   B2   B3

Complete.

a) ○ Você _____ ir ao cinema hoje?

  ● Não, não _____ . Vou estudar.

b) ○ Eles _____ ir ao teatro hoje?

  ● Não, _____ . Eles _____ trabalhar.

c) ○ Vocês _____ ir à biblioteca ao meio-dia?

  ● Não, _____ almoçar.

d) ○ Ela_____ falar com o diretor hoje à tarde?

  ● Não, ela só_____ falar com ele amanhã.

e) ○ Ele _____ viajar amanhã de manhã?

  ● Não, ele não _____ . Ele _____ à reunião.

10 Verbos irregulares *ir* e *ter*   B2   B4

Complete.

a) Às 8 horas eles _____ reunião.

b) Às 9 horas ele _____ ao dentista.

c) Às 5 horas ela _____ aula de ginástica.

d) Às 3 horas elas _____ ao banco.

e) Ao meio-dia nós não _____ tempo para almoçar.

f) Amanhã de manhã nós _____ viajar.

g) Amanhã de tarde vocês _____ ao dentista.

h) Hoje de tarde eles _____ muito trabalho.

11 Agenda da Sônia

1. Leia as respostas de Sônia. Faça as perguntas.

○ _____

• Não, terça-feira de manhã eu não estou livre, eu tenho aula de ginástica e de português.

○ _____

• Não, Pedro não vai ao dentista segunda de manhã. Eu vou com ele à tarde.

○ _____

• Na quinta-feira de manhã eu vou ao escritório, das oito e quinze às 5 para o meio-dia.

○ _____

• Eu vou ao escritório 4ª feira de tarde e 5ª feira de manhã.

○ _____

• Nós temos reunião 6ª feira de tarde.

2. Complete a agenda de Sônia com as informações do exercício 1

33ª Semana	AGOSTO
12 Seg *10.00 -11.50 aula português* *14.30 dentista Pedrinho*	16 Sex
13 Ter	17 Sáb
14 Qua	18 Dom
15 Qui	Importante ○22/8 aniversário Dona Marta (90)○

12 Compromissos

Organize os diálogos.

a)

☐ Tudo bem. Por favor, telefone para confirmar o horário.

☐ Bom dia, Edson.

☐ Então, vamos começar às 10 hs. em ponto.

☐ Às 8 horas não posso. Tenho um cliente, mas às 9h30 estou livre.

☐ Bom dia.

☐ Você pode ir à reunião geral na 5ª feira às 8 hs.?

b)

☐ No fim de semana vou à praia com meus amigos. Você quer ir também?

☐ Tudo bem.

☐ Não tem problema. Podemos sair à uma e meia.

☐ Oi, Sandra. Tudo bem?

☐ É claro! Mas só posso viajar no sábado à tarde. De manhã eu trabalho.

13 Uma carta C2

**Você tem um convite para o fim-de-semana.
Escreva a carta com estas informações.**

você não pode ir porque...
no próximo fim-de-semana
você vai estar livre.

_____, 8 de fevereiro

Caro (a) _____

Como vai, tudo bem? Gostaria

de passar o fim-de-semana

com vocês, mas _____

_____

_____

_____

Um abraço

_____

14 D1

Transporte na cidade grande

Vida na cidade grande

1. Leia o texto e depois escolha um dos títulos acima ↑.

Atualmente morar e trabalhar numa cidade grande como São Paulo ou Rio de Janeiro é muito difícil. Por exemplo, as pessoas passam horas dentro do carro ou do ônibus só para ir ao trabalho por causa do excesso de veículos nas vias públicas. Nos bancos, nos supermercados, nos restaurantes, as filas são imensas. Para os que trabalham, o almoço pode ser um simples sanduíche para economizar tempo. Resultado: as pessoas não têm muito tempo para o lazer como ir ao cinema, ao teatro, à praia, visitar amigos, etc.

2. Relacione.

① carro   a) ruas, avenidas, etc.
② ônibus   b) transporte individual
③ vias públicas   c) em local público, grupo de pessoas esperando sua vez
④ fila   d) transporte coletivo

3. O texto diz que:

☐ **as pessoas não vão muito ao cinema, à praia etc.**
☐ as pessoas têm muito tempo para ir ao trabalho.
☐ **as pessoas não têm muito tempo para almoçar.**
☐ as ruas não são boas.
☐ o número de carros não é problema

D2   **15** ☎   **Posso falar com o Carlos, por favor?**

1. Ouça o diálogo.

Carlos e Bruno estão falando sobre

☐ convite para um jantar
☐ problemas do restaurante
☐ a festa da Paula

2. Certo (c) ou errado (e)?

	c	e
a) Bruno convida Carlos para o jantar de Paula.		
b) O jantar vai ser às 9 horas.		
c) Depois do trabalho, os amigos vão almoçar com a Paula.		
d) Carlos pode ir ao restaurante às 9 horas.		
e) O restaurante se chama 'Santo Amaro'.		

E1   **16 Comunicação na sala de aula.**

Relacione as frases do aluno e do professor.

○ Eu.
○ Como se fala *homework* em português?
○ Não, não entendi.
○ Soletre, por favor.
○ Em que página?
○ Tem tarefa?

• Sim, faça o exercício E1 no livro de exercícios.
• Abram o livro-texto, por favor.
• Está claro?
• Tarefa.
• Quem não entendeu?
• T-A-R-E-F-A

E2   **17 Palavras**

1. Procure nas Lições 1 e 2:

a) 8 atividades para o fim-de-semana _____

_____

b) 6 profissões _____

_____

2. Escreva as formas femininas.

senhor   _____
colega   _____
francês   _____
marido   _____
irmão   _____
alemão   _____

Lição 3

1. Complete o diálogo.

É domingo. A família Junqueira (marido, mulher e três filhos) vão ao restaurante.

Mesa para quantas pessoas?

Uns 15 minutos.

_____

_____ ?

2. Complete.

por favor!

ENTRADAS
CARNES
AVES
PEIXES
MASSAS
GUARNIÇÕES
SOBREMESAS
BEBIDAS

3. Complete e responda.

○ Você _____ um aperitivo antes do almoço?

○ Você gosta _____ batida?

○ Que batida você _____ tomar?

• _____

• _____

• _____

1. Relacione.

a) uma salada	de coco
b) pernil	bem grande
c) uma cerveja	com farofa
d) um suco de maracujá	ao ponto
e) um filé	mista
f) doce	frita
g) batata	frescas
h) frutas	bem gelada

2. O que você quer? Escreva frases usando os elementos de 2.1..

Eu quero uma salada mista.

_____

_____

_____

_____

19

A5 3 Convite

Escreva um convite para um jantar em sua casa:

- sábado 20 horas
- aperitivo, comida brasileira (ou do seu país), bebidas, sobremesa.

*Querido (a)*_____

_____

_____

_____

_____

Um abraço

B1 4 Pronomes possessivos

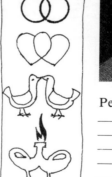

Marina, você tem
_____*sua*_____ casa
_____ livros
_____ amigos
_____ fotos
_____ irmãs

Pedro, você tem
_____*seu*_____ apartamento
_____ profissão
_____ amigas
_____ vida
_____ irmãos

Eles falam: Nós temos _____ vida, _____ casa, _____ amigos,

_____ profissões, _____ livros, _____ problemas.

B2 5 *Gostar de*

Escreva sobre você. Do que você gosta ou não gosta?
Exemplos:
carne?   Eu gosto de comer carne.
seu chefe? Eu não gosto do meu chefe.

sua casa	ir ao cinema
sua cidade	trabalhar
seu país	futebol
escrever	beber vinho
política	comida italiana
ler	...

estar com fome / estar com sede / estar livre / estar ocupado

1. Escreva.

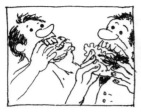   

Eles_____ Ela_____ O telefone_____ A mesa_____

_____ _____ _____ _____

2. Escreva as perguntas e respostas.

Exemplo: Laura/cinema?

Laura está no cinema?

Não, ela está na biblioteca.

Alberto/clube?

_____

_____

Eles/Manaus?

_____

_____

As senhoras/restaurante?

_____

_____

1. Escreva frases completas.

Eu/querer falar/ela   *Eu quero falar com ela.*

Nós/querer jantar/juntos _____

Elas/querer ir/ao cinema. _____

Ele/querer comer/pizza _____

8 *Estar, beber, querer*

Preencha as lacunas com os verbos *estar, querer* e *beber* e com o vocabulário das páginas 23 e 24 do livro-texto.

A família Soares entra no restaurante. O garçon pergunta a eles o que eles _____ comer.

O senhor Soares _____ comer um _____ ao ponto.

Ele _____ uma _____ bem _____ .

Sua mulher, Sofia, não _____ com fome.

Mas ela _____ com_____ . Ela vai_____

um _____ de laranja. Seus filhos _____

um espeto com _____ e _____ .

Eles sempre _____ suco de laranja.

9 *Ser* ⟷ *estar*

1. Complete as definições e faça as palavras cruzadas.

(1) Ela ___*está*___ no hospital,
mas não ___*é*___ paciente.

(2) O relógio não _____ certo,
mas também não _____ adiantado.

(3) Ele _____ na classe,
mas não _____ aluno.

(4) Ela _____ no escritório,
mas não _____ gerente.

(5) Eu não estou com fome mas_____
com _____

(6) Eles _____ no restaurante,
mas não _____ clientes.

Crossword grid entries: 1 E N F E R M E I R A

10 Quem é você?

Escreva um texto sobre você.

- Quem é você?
- O que você quer da vida?
- O que você gosta ou não gosta da sua vida?

Aqui temos um exemplo.

Meu nome é Lutz Rohrmann. Sou alemão, mas moro em São Paulo no momento. Minha esposa é professora numa escola teuto-brasileira. Sou editor de livros didáticos e professor de línguas. Nós temos um filho.
Eu gosto do Brasil e dos brasileiros.
Minha esposa e eu gostamos muito de viajar. Queremos visitar a Amazônia nas férias.
Às vezes, a vida em São Paulo pode ser bem difícil. O trânsito nas ruas da cidade é horrível e não gosto da poluição. Mas mesmo assim, eu gosto muito da cidade, dos cinemas, teatros e restaurantes.
Não gosto da pobreza no Brasil. É um país muito rico, mas 70% dos brasileiros são pobres. Mas muitos brasileiros querem um país diferente.
Eu quero uma vida tranqüila e um mundo sem fome e violência. Todos nós queremos isso, não é?

11 Informações sobre o Brasil D1

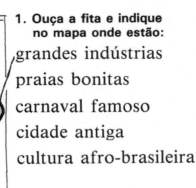

1. Ouça a fita e indique no mapa onde estão:

grandes indústrias

praias bonitas

carnaval famoso

cidade antiga

cultura afro-brasileira

2. Complete com os números do texto.

a) O Brasil tem _____ de km² de área.

b) O Brasil tem _____ de habitantes.

c) _____ % dos habitantes tem menos de 15 anos.

12 Carta do leitor D2

1. Leia a carta e as fichas na página 24.
2. Qual é o correspondente mais adequado para Marilena?

The International Home Magazines
c/o Editor

Caro Editor

Meu nome é Marilena. Tenho 23 anos. Sou brasileira de Recife, mas moro em Belo Horizonte desde os 10 anos. Sou secretária de uma pequena indústria de calçados. Trabalho o dia inteiro e à noite estudo línguas (inglês e alemão). Quero viajar, conhecer países diferentes, gente diferente com costumes diferentes. Talvez morar num outro país... É por isso que lhe escrevo de tão longe. Sou morena, tenho 1,65 m. de altura, 60 quilos e sou muito romântica. Quero corresponder-me com rapaz solteiro ou divorciado (sem filhos), de 25 a 35 anos, alto, com boa situação profissional, esportivo, sincero e carinhoso. Aguardo cartas com foto.

Marilena Araújo F. Antunes
Rua do Sol, 32 apto. 5
Belo Horizonte — Minas Gerais
Brasil

Dieter Köln, alemão, 34 anos, 1,83 m. de altura, solteiro. Professor. Gosta de ler, de ouvir música clássica, de cuidar de orquídeas.

 Marco Paoletti, italiano, 35 anos, 1,85 m. de altura. Solteiro, estudante. Gosta de todos os tipos de esporte.

 Andreas Peterli, suíço, 22 anos, 1,60 m. de altura, solteiro. Químico, gosta de velejar, esquiar e acampar.

 John T. O'Hara, americano, 37 anos, 1,78 m. de altura. Divorciado. Técnico em computação. Gosta de praticar esportes nos fins-de-semana.

E1
E2

13 Palavras, palavras, palavras

1. Risque o que é diferente.

a) pernil, frango, lombo, bife, brócole
b) pudim, sorvete, farofa, torta, frutas
c) caipirinha, guaraná, coca, limonada, laranjada
d) alface, palmito, tomate, peixe, cenoura
e) sobremesa, aperitivo, entrada, cafezinho, sanduíche

2. Identifique os objetos.

E

14 Pesca-Palavras

Procure 10 palavras ligadas à idéia de tempo

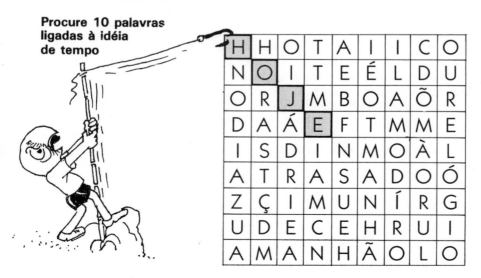

H	H	O	T	A	I	I	C	O
N	O	I	T	E	É	L	D	U
O	R	J	M	B	O	A	Õ	R
D	A	Á	E	F	T	M	M	E
I	S	D	I	N	M	O	À	L
A	T	R	A	S	A	D	O	Ó
Z	Ç	I	M	U	N	Í	R	G
U	D	E	C	E	H	R	U	I
A	M	A	N	H	Ã	O	L	O

p. 84   A1 - A2

a) Maíra é filha de Marcelo.

b) Marcelo é pai de Maíra.

c) Margarethe é mãe de Maíra.

d) Marcelo é esposo de Margarethe.

e) Berta é avó de Maíra e sogra de Margarethe.

f) Emílio é avô de Maíra e sogro de Marg.

g) Maíra é neta de Lore e Peter e neta de Emílio e
   Berta também.

h) Marcelo é genro de Peter e Lore.

i) Margarethe é nora de Emílio e Berta.

p. 87   B1 - B3

Eu vestia uma folha de bananeira.

Eu dormia na rede.

Eu não peixe do mar.

Eu escrevia poemas.

Eu fazia roupas e sapatos naturais.

Eu cantria o dia inteiro.

Eu não construía um barco.

Eu aprendia a língua dos animais.

Eu sabia como ficar rico.

Eu não encontraria o Sexto-Feira.

Eu não dizia bom dia aos papagaios.

⟹

p. 88 B4

7.1 a) Porque eu já tinha visto o filme.

b) Porque nos já tínhamos almoçado.

c) Porque tinham vindo a pé.

7.2 a) Quando ela ligou, eu já tinha adormecido.

b) Quando eles chegaram, o filme já tinha começado.

c) Quando ele trouxe a pizza, eu já tinha feito o frango.

d) Quando eu quis comprar na liquidação, tudo já tinha acabado.

Lição 4

**Leia a ficha e complete
o diálogo.**

Reserva

Nome: *Victor Martin*

Entrada: *18.8*

Saída: *21.8*

Apartamento: *duplo de frente*

○ Hotel Albatroz, bom dia!

● *Bom dia* _____

○ Pois não?

● _____

○ Para que dia é a reserva?

● _____

○ E quantos dias vão ficar?

● _____

○ Apartamento duplo ou simples?

● _____

○ Para esta data só temos um apartamento duplo, de frente para a rua.
○ Não muito, a rua é tranqüila. O quarto é grande e tem todo conforto. O senhor vai gostar.

● *Tudo bem / Está certo*

○ A reserva é em nome de quem?

● _____

○ Muito bem, está reservado.

● *Muito obrigado. Até-logo.*

Complete com as palavras na caixa.

2 Uma carta

> diária, estar, ficar, barulho, ter, apartamento, cama, fundos, simples

Capão da Canoa,

Querido Édson,

Tudo bem? Estou de férias em Capão. _____ hospedada no Xangri-lá que é um hotel _____ e tranqüilo. _____ perto da praia e _____ um bom restaurante. Meu _____ é pequeno mas tem uma _____ confortável, televisão, telefone (665-3221). É um quarto de _____ porque você sabe que não gosto de _____ . O mais interessante é que a _____ não é muito cara. Acho que vou ficar aqui duas semanas. Mas estou muito sozinha.

Um abraço *Jussara*

A3   3 Reclamações

O que você pode dizer?

O ar condicionado	①	é muito dura.
A cama	②	não está funcionando.
A rua	③	é muito escuro.
A televisão	④	tem cheiro de mofo.
O quarto	⑤	é muito frio.
O chuveiro	⑥	é muito barulhento/a.
O elevador	⑦	está muito abafado.

O ar condicionado é muito barulhento.

O ar condicionado

_____

_____

A4   4 Acho que...

Complete os diálogos com as expressões ao lado.

① acho que	② acho que sim			
③ acho que não	④ talvez	⑤ não sei		

a) ○ Você também vai passar o carnaval em Olinda?

   • _____, mas ainda não tenho reservas de hotel.

b) ○ O Roberto vai morar nos Estados Unidos?

   • _____ . Ele não fala sobre isto.

c) ○ Você acha que ainda tem lugares no teatro Guaíra hoje à noite?

   • _____ . Segunda-feira é um dia tranqüilo.

d) ○ Pode mudar o dia da reunião?

   • _____ . A agenda desta semana está completa.

e) ○ A que horas começa o debate sobre o cinema africano?

   • _____ às 14 horas.

A5   5 Siga em frente

Consulte o mapa da página 32 do livro-texto e depois faça o exercício. Você está na Praça Sílvio Romero. Três pessoas lhe pedem informações.

Relacione as perguntas e respostas.

(A) "Por favor, onde fica
o Largo Nossa Senhora
do Bom Parto?"

○ "Se o sr. está de carro é fácil. O sr. segue em frente
pela rua Tuiuti, até o fim e depois vira à esquerda. Não
sei o nome da rua, mas fica no 2º quarteirão à esquerda."

(B) "O bazar é longe
daqui?"

(C) "Onde é a rotisseria,
por favor?"

○ "É simples: O sr. continua pela Serra Bragança até
a rua Monte Serrat. Aí, o sr. vira à direita. Fica na esqui-
na."

○ "Você entra na rua Coelho Lisboa. Você anda 6 quar-
teirões e chega na rua Azevedo Soares. Aí, você vira à
esquerda, é logo em frente."

6 Pronomes possessivos: *dele, dela, deles, delas*   **B2**

Escreva frases completas.

Exemplo:
O Sérgio está em casa. O carro do Sérgio está na garagem.
→ O Sérgio está em casa. O carro **dele** está na garagem.
→ **Seu** carro está na garagem.

a) A Lúcia não está em casa, mas o marido da Lúcia está.

_____ .

_____ .

b) Meus amigos moram aqui. Os pais dos meus amigos moram em Vitória.
c) Renato gosta do novo trabalho. As colegas do Renato são simpáticas.
d) Preciso falar com a Paula. Você tem o telefone da Paula?
e) As fotos são dos nossos alunos. Estes vídeos são dos alunos também.

7 Verbos em *-ir*   **B4 B5**

Complete com *assistir, permitir, dividir, discutir, desistir, preferir*.

a)
• Meus vizinhos _____ à televisão todos os dias.
b)
○ Puxa, que apartamento grande! Você mora sozinha ou _____ com alguém?
• Eu _____ com meu irmão e um amigo.
○ Você não _____ morar num apartamento pequeno, mas sozinha?
• Não, de jeito nenhum.
c)
• Os hotéis no Brasil não _____ a entrada de animais. Sempre que viajamos com
a Fifi, minha mulher _____ com os gerentes. Ela nao _____ facilmente.
Eu _____ tranqüilamente à discussão. Não posso fazer nada.

8 Verbos misturados

Complete os diálogos com *fazer, ficar, preferir, querer.*

a)

• Viajo no fim do mês. Vou _____ 5 dias em Brasília.

o Ah, é? E o que você vai _____ lá?

• _____ fazer uma reportagem com o novo Ministro da Economia.

b)

• Nossa agência de turismo _____ tudo para o cliente: reservas, programas, etc.

o Vocês _____ também reserva de hotel?

• Sim, mas nós só _____ reserva para quem _____ mais de uma semana no hotel.

c)

• Se você não _____ mudar de hotel, eu quero! Aqui eu não _____

o Mas eu _____ este.

9 Comparação com *mais*: preferência

teatro — cinema	interessante
casa — apartamento	alegre
hotel — camping	seguro
carne — peixe	tranqüilo
cidade — praia	rápido
rock — música clássica	gostoso
carro — moto	confortável

1. Compare.

Exemplo: teatro — cinema

Teatro é mais interessante do que cinema.

2. Agora escreva o que você, sua família, seus amigos preferem.

Prefiro ir ao teatro. Acho mais interessante do que cinema. Meus filhos preferem cinema. Eles acham...

10 O que eles estão fazendo?

Observe o desenho e escreva.

O pai _____ .

A mãe _____ .

O filho _____ .

A filha _____ .

1. Daniel Moreira e sua família passam as férias na praia. Eles preferem ficar numa casa e não no hotel. Por quê?

   Escreva no mínimo 5 frases.

Na hora do almoço	querer receber amigos
Na casa	poder preparar seus pratos preferidos
A família	ficar mais barato
Seus filhos	poder viver sem horário fixo
Passar as férias na casa	preferir a tranqüilidade da casa

Na hora do almoço eles podem preparar seus pratos preferidos.

2. Outras pessoas preferem passar as férias no hotel. Por quê?
   Escreva um pequeno texto.

_____
_____
_____
_____
_____
_____

| poder   preferir   querer |
| não precisar   (não) gostar de |

bar
ter mais tempo livre
restaurante
jantar no   tomar um drinque
arrumar   cozinhar limpar

Veja os anúncios e escreva aos amigos explicando por que você vai ao Hotel Estância ou visitar o Pantanal Matogrossense.

PANTANAL MATOGROSSENSE

AGORA RODOAÉREA

BOLÍVIA - PARAGUAI
11 Dias - 10 Refeições

Maravilhosos dias no paraíso da fauna e flora.
Ponta Porã, Pedro J. Caballero (Paraguai), Campo Grande, Corumbá (viagem de trem atravessando o Pantanal), Puerto Soares (Bolívia), Cuiabá - Rodovia Transpantaneira, Chapada dos Guimarães.

Hospedagem nos Melhores Hotéis.

Saídas Abril: 20.
Saídas Maio: 7-17-21.

HOTEL ESTANCIA
RECANTO DA CACHOEIRA

Lugar simples e acolhedor. Estrelas, só as do céu. Muita área verde, rio piscoso, cachoeira, piscina de água mineral, quadras, sl. de jogos, cavalos e restaurantes. Diária completa.

Promoção: De domingo a sexta

RESERVAS: Tels.: (011)64-3697 - São Paulo
(0192) 95-2318 - Socorro (0132) 38-3705 - Santos

C3 13 Teatro Amazonas

A foto ao lado mostra o famoso Teatro Amazonas em Manaus.

Você está em Manaus. O que você precisa saber para visitar o teatro? (localização, horário, transporte,...) Escreva 4 perguntas.

① _Onde_____?

② _____

③ _____

④ _____

D1 14 Rádio Eldorado

1. Ouça a fita. O texto é ☐ um anúncio.
☐ uma reportagem.

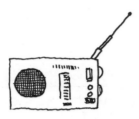

2. Ouça novamente e marque.

	c	e
a) O hotel fica na Finlândia.		
b) O carnaval do hotel é famoso.		
c) O hotel é tranqüilo.		
d) Você pode fazer reservas em São Paulo.		

3. Marque. O hotel oferece:

☐ sauna   ☐ lojas de souvenirs   ☐ telefone
☐ golf   ☐ restaurante   ☐ tv a cores
☐ piscina natural ☐ garagem   ☐ música ambiente

4. Telefones para reservas no Rio: _____

1. Leia o texto e marque as características do Hotel Lancaster.

☐ grande ☐ familiar ☐ na praia

☐ na cidade ☐ três estrelas ☐ moderno

O melhor três estrelas

O Hotel Lancaster, em Curitiba, recebeu uma homenagem da Abav - Associação Brasileira dos Agentes de Viagens - Secção do Paraná, como "O Melhor Três Estrelas do Paraná de 1988". O mérito deve-se à excelente qualidade de serviços oferecidos, além de proporcionar ao hóspede o conforto necessário para uma boa estadia. O hotel conta com 106 apartamentos amplos, modernos, dotados de ar condicionado, TV em cores, música ambiente, frigobar e, para maior conforto dos hóspedes, com áreas reservadas para não-fumantes. O restaurante oferece serviço à la carte e também sua tradicional feijoada em forma de buffet às quartas-feiras e sábados. O Bar Executivo, com decoração tropical, é o ponto de encontro obrigatório das 17h à 1 hora. Sauna seca e úmida, com aconchegante bar, sala para massagens, ducha escocesa, sala de repouso, pedicure, forno de Bier (funcionando das 14h às 23 horas), são outras opções de lazer. Para os executivos o hotel dispõe de quatro salas de reuniões com todos os equipamentos necessários para convenções, reuniões, encontros, palestras, desfiles e coquetéis. Os pães, doces, tortas e salgados são produzidos na Confeitaria Lancaster (uma das mais tradicionais da cidade), pertencente ao grupo.

2. O que o hotel oferece:

a) nos quartos?   b) no restaurante?   c) para reuniões?   d) lazer?

_____   _____   _____   _____

_____   _____   _____   _____

_____   _____   _____   _____

_____   _____   _____   _____

E 16 Hotéis: Categorias e Serviços

Relacione os símbolos com as definições. Trabalhe primeiro sem dicionário.

Categorias

muito confortável
médio conforto
primeira
muito simples
luxo
simples
confortável

Diárias e serviços

ci: café da manhã incluído
ts: taxa de serviço (10%)
ds: diária simples (pernoite)
dc: diária completa c/ refeições
cc: cartões de crédito aceitos:
    AE = American Express
    C = Credicard;
    D = Diners;
    E = Elo;
    N = Nacional
    manobrista
    autolocadora

Instalações e equipamentos

c/ ⧉ — chuveiro elétrico ou frio
— quarto c/ pia
— TV
ar — videocassete
gel (20) — salão de convenções: capacidade
mus — estacionamento
— garagem
vc — calefação central ou individual
— piscina térmica ou fria
— playground
— basquete, vôlei, futebol
sc: 320 — quadra de futebol e vôlei, tênis, golfe
Ⓔ — canil
— cavalos, charretes, bicicletas
— churrasqueiras
— telefone
— ar condicionado central
— geladeira (em alguns aptos.)
— música ambiente

E2 17 Números

Escreva os números por extenso.

RIO DE JANEIRO

ASPECTOS GERAIS

Área: 44.268 km².
População: (est. 1987): 13.278.000 hab.
População urbana: 12.493.000.
População rural: 785.000.
Nativo do Estado: fluminense (carioca é o nativo da cidade do Rio de Janeiro).
Limites: Minas Gerais e Espírito Santo ao norte, oceano Atlântico a sul e leste e São Paulo a oeste.
Período de chuvas: outubro a março.
Temperatura média: entre 30°C (fevereiro) e 13°C (julho).

Capital: Rio de Janeiro.
Número de municípios: 64.
Principais cidades: Rio de Janeiro, Niterói, Nova Iguaçu, Duque de Caxias, Campos e Volta Redonda.
Atividades econômicas principais: indústrias metalúrgica, siderúrgica, química, de material de transporte, editorial e gráfica, papel e celulose, derivados de petróleo e naval.
Estabelecimentos industriais: 11.141.
Comerciais: 66.831.

1 Procurando um apartamento   A1

Organize o diálogo.

A Ah! A senhora procurou na lista errada! As fichas de apartamentos são estas aqui.

B Por favor, o sr. tem outras fichas de apartamentos para alugar?

C É que estou querendo um apartamento e aqui só tem casas.

D Não. Mas a senhora já olhou todas as fichas? E não achou nada?

1	2	3	4

2 Características   A2 A3

Complete as frases com os adjetivos. Há várias possibilidades.

úmida	agradável	caro	escura	
ensolarado	pequena	grande	abafado

a) Esta casa é bonita, mas _____

b) A cozinha é pequena, mas _____

c) Este quarto é menor do que o outro, mas é _____

d) Bate muito sol na sala, mas ela é _____

e) Este apartamento é confortável, mas _____

33

A3 3 O que para quem?

Escolha uma casa, um apartamento ou outro lugar para cada uma das pessoas abaixo.

 (1) Florzinha de Carvalho, 38, ex-campeã de karatê, quer abrir uma academia de ginástica.

 (2) João Morais da Costa, 45, gerente de publicidade, casado, 6 filhos, procura apartamento grande, confortável, de preferência mobiliado.

 (3) Sebastião da Veiga, 52, fazendeiro do Mato Grosso, 3 filhos, quer passar as férias na praia. Não gosta do mar, prefere casa com piscina.

 (4) William da Silva, escritor, ótimo ator, produtor e diretor com estágio em Hollywood, procura local para apresentar espetáculo.

ALUGA-SE

A Apto. cobertura triplex - Lindenberg, novo, 7 dorms., 6 gar., c/tel. Mobiliado. F.: 844-1586 - Cezar.

B Flat de 1 e 2 dorms. - C/Serviços, no Itaim Bibi, p/executivos e empresas. Tr. F.: 241-7022 c/Dnª Malu.

C Lit. Norte! - Praia de S. Lourenço/Bertioga. Chalés p/5 pess. c/ pisc., salão jogos, restaurante. Os melhores da região! F.: (011) 449-8520.

D Chalés em Ubatuba - Praia Maranduba. Acom. p/6 pess. frente p/o mar. F..: (0124) 43-1399 ou 43-1714

E Auditório aluga-se - Região da Paulista. Por hora ou dia. Ligue F.: 257-3599 ou Tlx.: 1134954.

F Mercedes branco ano 1964 - Impecável p/casamentos/festas. Tr. F.: 257-9071 ou 257-8527 João.

G Férias Juqueí - alugo boa casa, 4 dorms., gar. e piscina. Pertinho da praia! F.: 883-6592.

H Salão p/ ginástica, ballet, aeróbica, etc. c/ 100m^2, vestiários m.f., espelhado, c/ barras, som compl., bem iluminado. Disponível tarde/noite. Local Itaim. Tratar. F.: 282-9341 2ª e 3ª após 16 h.

(1) ——— (2) ——— (3) ——— (4) ———

A4 4 A sala

Observe o desenho e complete as frases na página 35 com uma preposição:

ao lado
em cima
em frente
entre
atrás

34

a) Há três bancos _____ do bar.

b) As almofadas estão _____ do sofá.

c) À esquerda, _____ do vaso de plantas está a sala de jantar.

d) O quadro pequeno está _____ as janelas

e) A mesa está _____ dos sofás.

5 Pretérito perfeito dos verbos regulares

1. Responda com os verbos ao lado.

a) Por que Fernando viajou de trem?

Porque _____ o carro.

b) Por que é que ela pegou o ônibus?

Porque _____ o carro.

c) Por que você passou as férias na praia?

Porque meus amigos me _____

d) Por que precisamos esperar aqui?

Porque as lojas ainda não _____

vender

convidar

bater

abrir

2. Complete o diálogo.

• Mariana, você viajou com seus amigos para Gramado este ano?

∘ _____

• Vocês conseguiram um bom hotel?

∘ _____

• Você assistiu ao festival?

∘ _____

• Gostou?

∘ _____

• Você conheceu algum ator famoso?

∘ _____

• Você saiu com ele? _____

∘ _____ Agora chega!!

• Que pena!

6 Carta de Maringá

Leia a carta de Marcos e depois complete o diálogo entre a mãe dele e uma amiga com os verbos no tempo correto.

Maringá, 31.8.1992

Querida mamãe,
desculpe por não ter escrito antes, mas nós temos muito trabalho na firma (ontem saí às 10 da noite) e em casa. Por isso não tive tempo.
Chegamos aqui no dia 16. A cidade é bonita, moderna, tranqüila, com muitas árvores e pouco trânsito. Nos primeiros dias, ficamos num hotel mas já na semana seguinte consegui alugar uma casa. Ela tem 2 quartos e uma sala grande. Fica perto das lojas, mas num bairro tranqüilo. Vou mandar fotos na próxima carta. Ontem vendi nosso carro. Vou comprar um novo no próximo mês. Mas aqui não preciso de carro como em São Paulo. Na semana passada, convidamos nossos amigos para uma festa aqui em casa. Assim já conhecemos muita gente. Preciso sair agora. Vou ligar no fim-de semana e mandar as fotos logo.

Um beijo
Marcos

• Já tem notícias do Marcos e da Marineidy?

• Tenho. _____ uma carta deles ontem. (receber)

○ Eles _____ Maringá? (gostar de)

• _____ . Já _____ uma casa. (gostar, alugar)

O Marcos _____ o carro e _____ um novo.
(vender, comprar)

○ Puxa! Parece que eles vão indo bem.

• Acho que sim. Também já _____ muita gente. (conhecer)

Só que ele _____ muito trabalho. (ter)

Sexta-feira passada ele só _____ da fábrica às 10 da noite. (sair)

Relacione.

a) Quantos prêmios o filme recebeu?

b) Ela já recebeu as cartas?

c) Quantas estrelas tem este hotel?

d) Quem bebeu o vinho?

e) Por que você não gostou da casa?

f) Por que vocês compraram um carro novo?

① Ainda não.

② Batemos o velho.

③ Não bate sol nela.

④ Nenhum.

⑤ Pedro.

⑥ Recebeu três.

a/_____ b/_____ c/_____ d/_____ e/_____ f/_____

8 Comparativo **B5**

O que é melhor, viver no campo ou na cidade?
Complete com *maior, menor, melhor, pior*

a) Viver no campo é _____ para quem gosta de vida tranqüila.

b) Também o aluguel é bem _____ do que na cidade grande.

c) Mas na cidade as chances de encontrar um bom emprego são _____ .

d) E as _____ lojas também ficam na cidade.

e) Só que a qualidade de vida na cidade é muito _____ do que no campo.

9 Uma carta **C1**

Querida Rita!

Está tudo bem aqui. Tenho muito trabalho, mas o ambiente no escritório é agradável. No escritório não tenho problemas. Meu problema é encontrar uma casa para nós. Ou um apartamento, não sei. Mando-lhe estas duas fotos. Examine-as e diga-me se você quer morar numa casa confortável (a da foto), bem longe da cidade, longe de tudo, ou num apartamento (indiquei o prédio na foto) grande, bonito, com terraço, perto de boas escolas, de lojas, perto de tudo. Visitei a casa e o apartamento. Gostei dos dois. Não sei o que fazer.

Responda logo
Um beijo

Responda a carta. Diga:

— que você está bem
— que você prefere a casa/ o apartamento porque...
— que você quer ter mais informações (preços, m², quantos quartos/ banheiros, piscina, ...)

Na semana passada, você se mudou. Escreva sobre o dia da mudança.

chegar às 7
abrir armários
transportar móveis para o caminhão
fechar o caminhão
O sofá ficar na rua

1 *Os homens chegaram às 7 horas.*

2 *Às 7.15*

3 _____

4 _____

5 _____

1. Observe os desenhos e leia o texto sem usar o dicionário.
   Qual dos desenhos se refere ao texto?

João-de-barro é um interessante pássaro brasileiro pelo hábito de viver perto dos homens e fazer ninho nas proximidades de nossas casas. A espécie mais comum tem o corpo de cor canela e o peito varia do vermelho ao branco. Mede em geral 20 centímetros. O que dá o nome ao *João-de-barro* é o fato de construir ninhos não com material normalmente empregado pelas outras aves, mas de barro. Usa os pés e o bico para transportar e trabalhar o barro. O ninho tem duas divisões: na interna, coberta com folhas e galhinhos secos, a fêmea põe os ovos. Às vezes faz casas uma em cima das outras, como um prédio. O *João-de-barro* vive nas regiões Sul e Sudeste do Brasil.

2. Leia o texto novamente sem dicionário. Depois marque as frases certas.

a) ☐ O *João-de-barro* é um pássaro.

b) ☐ Ele vive na Amazônia.

c) ☐ Ele vive perto dos homens.

d) ☐ Ele faz a 'casa' dele com materiais normais.

e) ☐ Ele é muito grande.

3. Corrija as frases erradas.
   Use o dicionário se necessário

_____

_____

_____

_____

_____

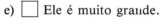

arara

papagaio

tucano

jaburu

12 Uma música brasileira: João-de-barro

1. **Observe os desenhos e leia a letra da música.**

2. **Ouça a canção e coloque a letra da música na ordem certa.**

①

O João-de-barro
Pra ser feliz como eu
Certo dia resolveu
Arranjar uma companheira.
No vai-e-vem
Com o barro da biquinha
Ele fez sua casinha
Lá no galho da paineira.

○

Mas quando ele
Ia buscar um raminho
Para construir seu ninho
Seu amor lhe enganava.

○

Cego de dor
Trancou a porta da morada
Deixando lá a sua amada
Presa pro resto da vida.

◯

Toda manhã
O pedreiro da floresta
Cantava fazendo festa
Pra aquela a quem tanto amava.

◯

Mas neste mundo
O malfeito é descoberto
João-de-barro viu de perto
Sua esperança perdida.

⑥

Que semelhança
Entre o nosso fadário
Só que eu fiz o contrário
Do que o João-de-barro fez.
Nosso Senhor
Me deu força nessa hora
A ingrata eu pus pra fora.
Onde anda eu não sei.

13 Qual é o intruso?   E

a) arrumar lavar limpar trocar
b) mão dupla velocidade data sinal contramão
c) cozinheira empregada jardineiro camareira estrangeiro
d) fábrica loja bar casa lanchonete
e) investimento negócio dinheiro banco farofa
f) tranqüilo confortável abafado seguro luxuoso
g) mesa abajur estante poltrona chuveiro
h) úmido barulhento sujo ensolarado feio

Lição 6

1 Freqüência

Complete as frases abaixo com as seguintes expressões

o tempo todo de vez em quando o dia inteiro às vezes sempre geralmente

Exemplo: ○ Luiz fala sem parar.

       ● É. Ele fala _o tempo todo / o dia inteiro_

a) ○ Rogério trabalha das 7 da manhã às 8 da noite.

    ● Puxa, ele trabalha _____.

b) ○ A Paula chega atrasada todos os dias.

    ● É terrível. Ela_____ chega às 9.30 ou ainda mais tarde.

c) ○ O Zé só anda de ônibus uma ou duas vezes por mês.

    ● Eu também só ando de ônibus_____.

d) ○ Meu pai não pára de fumar.

    ● O colega dele também fuma _____.

e) ○ Meu filho muitas vezes dorme tarde.

    ● _____ ele só dorme à meia noite.

2 Atividades do dia-a-dia

O que as pessoas estão fazendo?

① _Ele está lavando roupas._   ④ _____

② _____   ⑤ _____

③ _____   ⑥ _____

1 Crianças com mais de 14 anos.
2 Limpa a casa.
3 A Dona Cecília depois de um dia diferente.
4 Geralmente trabalha pouco ou nada em casa.
5 Trabalha em casa e não ganha nada.
6 Dona Conceição tem muito em casa.
7 Professora é uma..., nº 2 é outra.
8 Às vezes a Dona Conceição pode voltar para casa um pouco mais...
9 Colega de nº 2.
10 Colega de nº 2 e 9, também trabalha em restaurantes.
11 O relógio mostra isto.
12 38, 43, mas geralmente não se fala sobre isto.
13 Onde a Dona Conceição mora.

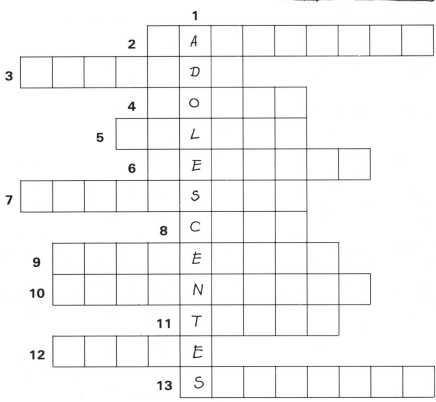

4 Pretérito perfeito — Verbos irregulares *ir, ser*

Complete o diálogo.

○ Você_____(ir) ao Embu no

domingo passado?

○ Não, não_____(ir),_____(ir)

à praia. Mas sei que a feira

_____(ser) boa. Meus amigos_____(ir).

E você_____?(ir).

○ Eu_____(ir). A feira_____(ser)

ótima

Feira de artesanato em Embu, SP

5 Pretérito perfeito — Verbos irregulares *ter, estar, fazer, querer, poder*

1. Complete.

Exemplo: (querer) Ontem eu não ___*quis*___ falar com ele.

E você? Você ___*quis*___ ?

a) (fazer) Ontem eu não _____ meu trabalho. E você?
Você _____?

b) (estar) No ano passado, eles _____ na Bahia. E você?
Você _____ ?

c) (ter) Nós não _____ muito serviço ontem. E vocês?
Vocês _____ ?

d) (poder) Ontem eu não _____ levar as crianças à escola
E você? Você _____ ?

2. Complete.

Exemplo:

(querer) Ela não ___*quis*___ fazer os testes ontem, mas nós ___*quisemos*___ .

a) (fazer) Nós não _____ nossa tarefa, mas eles _____.

b) (estar) Eu ainda não _____ em Belém, mas ele já _____.

c) (ter) Eu não _____ aula de ginástica ontem, mas ela _____.

d) (poder) Anteontem, nós não _____ trabalhar, mas eles _____.

6 Verbo irregular *dar*: Presente e pretérito perfeito. B4

Complete.

Exemplo: Eles não me ___*deram*___ atenção. Elas sempre ___*dão*___.

a) Você não me _____ presente no aniversário. Mas ela sempre _____.

b) Ontem ele _____ uma aula interessante. Ele sempre _____.

c) Eu _____ meu endereço para ela. Geralmente só _____ o telefone.

d) Nós _____ uma festa no fim do ano passado. Nós sempre _____.

7 Pronomes pessoais: *o, a, os, as, -lo, -la, -los, -las* B6

1. Complete o diálogo com *o, a, os, as.*

○ Meu Deus, quantos pratos!

● Calma, eu _____ lavo num minuto.

○ E os talheres?

● Eu _____ lavo também.

○ E as xícaras?

● Eu _____ lavo. Calma!

○ E esta toalha?! Está tão suja!

● Eu _____ lavo também.
   Num minuto. Você vai ver.

2 Complete as frases.

Exemplo: Levo meus filhos à escola de manhã e depois vou ___*buscá-los*___ (buscar) ao meio dia.

a) Comprei o jornal de hoje, mas não tenho tempo para _____ (ler).

b) Recebi uma carta da minha mãe ontem. Preciso _____ (responder) o mais rápido possível.

c) Este trabalho é muito difícil. Não posso _____ (fazer) agora.

d) As portas estão fechadas até o fim do show. Não posso _____ (abrir) agora.

e) Oscar, eu vou dar uma festa no dia 13 de maio. Quero _____ (convidar).

f) Marina, você está sem carro? Posso _____ (levar) para casa.

g) Posso _____ (ajudar)? Vocês estão procurando alguma coisa?

8 A senhora/ o senhor — você

Em Português, quando usar 'você'? Quando usar 'o senhor/ a senhora'? Não é fácil explicar. Para ajudá-lo, vamos dar algumas regras básicas.

1

De maneira geral, 'você' indica familiaridade e 'o senhor/ a senhora' indicam respeito. Assim, usamos 'você' quando falamos com uma criança, um jovem ou um amigo.
Como forma de respeito, tratamos de 'o senhor/ a senhora' pessoas mais velhas de qualquer nível social ou pessoas que, por sua profissão ou cargo, precisem ser tratadas com deferência.

Você sabe que nossa equipe ganhou?

O que usar, '*você*' ou '*o senhor/ a senhora*'?

2

Quando tratamos alguém por 'você', usamos seu primeiro nome. Por isso dizemos:
• *Marina, você pode me ajudar?*
• *Roberto, você vai tomar um cafezinho?*
Se tratamos alguém por 'o senhor/ a senhora', necessariamente usamos, antes do nome, 'Dona' ou 'Senhor':
• *Dona Marina, a senhora pode me ajudar?*
• *Seu (senhor) Roberto, o senhor vai tomar um cafezinho?*

O senhor esqueceu a dentadura...

Situação	você	o senhor/ a senhora
Na rua, um rapaz de 20 anos fala com um homem de 50.		
No escritório, um rapaz fala com outro rapaz, seu colega.		
Numa loja, um rapaz de 25 anos fala com uma vendedora de 50.		
Em casa, uma moça de 20 anos fala com uma empregada de 60.		
Num consultório, um senhor de 50 anos fala com um médico.		
Num táxi alguém fala com o motorista de 60 anos.		
Num restaurante, um cliente de 30 anos fala com um garçon de 60.		
Num restaurante, um cliente de 30 anos fala com um garçom de 28.		
Em casa, a empregada de 30 anos fala com a patroa da mesma idade.		
No escritório, um chefe de 40 anos fala com sua secretária de 50.		
No escritório, uma secretária de 50 anos fala com seu chefe, um homem de 40 anos.		
Na rua, uma pessoa pede informações a outra da mesma idade.		

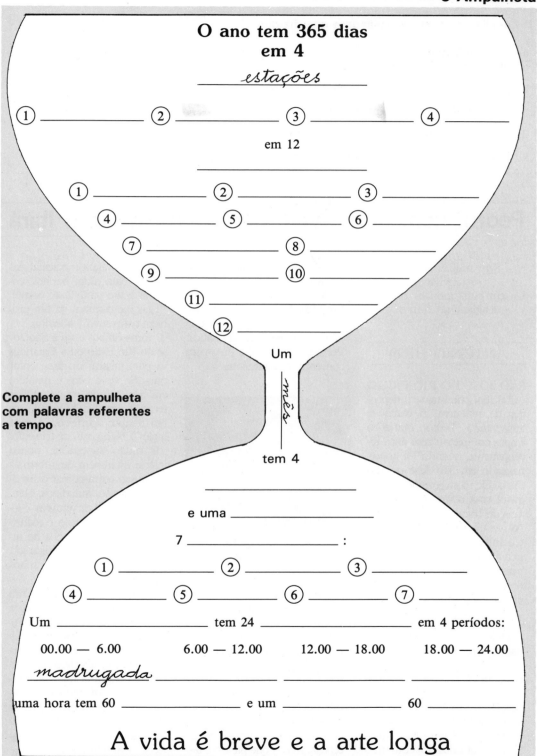

**O ano tem 365 dias
em 4**

estações

① _____ ② _____ ③ _____ ④ _____

em 12

_____

① _____ ② _____ ③ _____
④ _____ ⑤ _____ ⑥ _____
⑦ _____ ⑧ _____
⑨ _____ ⑩ _____
⑪ _____
⑫ _____

Um

mês

**Complete a ampulheta
com palavras referentes
a tempo**

tem 4

_____

e uma _____

7 _____ :

① _____ ② _____ ③ _____
④ _____ ⑤ _____ ⑥ _____ ⑦ _____

Um _____ tem 24 _____ em 4 períodos:

00.00 — 6.00   6.00 — 12.00   12.00 — 18.00   18.00 — 24.00

madrugada _____ _____ _____

uma hora tem 60 _____ e um _____ 60 _____

A vida é breve e a arte longa

10 Pedro Lopez de Termas de Ibirá

1. Localize no texto a passagem que diz que

(a) Pedro não quer vender a casa porque acha que pode viver muito mais anos ainda. _____

(b) Pedro é espanhol e chegou criança ao Brasil. _____

(c) Pedro é homem bem informado. _____

(d) Pedro não sabe por que está tão bem aos 100 anos. _____

(e) Pedro vive em sua própria casa e organiza sua própria vida. _____

Pedro, cem anos, vive com otimismo em Ibirá

Sem mulher ele não vê televisão e tem bons motivos para acreditar no futuro

ANTÔNIO HIGA

SÃO JOSÉ DO RIO PRETO

Lúcido, otimista, sem depender de ninguém, o contador aposentado Pedro Francisco Lopez completou cem anos recentemente, quando foi homenageado em São José do Rio Preto. Ele mora sozinho, na primeira casa construída em Termas de Ibirá. Cuida da horta-pomar que formou no quintal. Cozinha, lava suas roupas, viaja a passeio ou para fazer compras e prepara suculenta feijoada em fins de semana. É apreciador de uísque, vinho e cerveja.

Pedro Lopez nasceu na Espanha em 1889, com 3 anos chegou ao Brasil. Foi o primeiro contador, na época "guarda-livros", do primeiro banco instalado em São José do Rio Preto, por volta de 1915. Viúvo há 17 anos. Não tem filhos. Mantém-se atualizado ouvindo noticiários transmitidos por emissoras de rádio. Agora está lendo coleção de livros sobre astronomia. "Me interesso por tudo que ocorre na administração pública, no esporte, na política. Por essa razão tenho base para conversar e argumentar."

Ele próprio não tem explicação para sua lucidez, saúde, raciocínio. "Não envelheci, me sinto jovem." Sua longevidade não se deve à alimentação, pois come feijoada duas vezes por semana. "É o meu prato preferido. Gosto de azeitona, salame, queijo, doces. Não rejeito nem pinga", disse. A cada 15 dias ele consome uma caixa de cerveja, mas o que prefere é uísque. Usa a água medicinal das termas para tudo: banhos, cozinha e até para fazer o café. "Elas me curaram de um problema digestivo", afirmou.

Toma ônibus e vai a São José do Rio Preto ou a Catanduva para passear ou fazer compras. Se veste bem e mantém em seu guarda-roupa muitos ternos e gravatas. "Quando sobra tempo, aperfeiçõo o meu inglês". Não gosta de televisão: "É muito superficial, pouco instrui e também desinforma".

De sua horta-pomar colhe limão, mamão, mandioca, batata, feijão, milho, verduras e legumes. "A produção é reduzida agora, por estarmos no inverno, não é época de plantio", disse, mostrando as mãos calejadas.

"Casar-me novamente? Com esse salário de aposentado, a mulher passaria fome", diz Pedro Lopez. O parapsicólogo Álvaro Fernandes fez a ele uma proposta: compraria a histórica casa e permitiria que nela permanecesse enquanto vivesse. Pedro Lopez não aceitou: "Talvez eu tenha o mesmo destino do meu tio-avô, espanhol, que faleceu com 139 anos".

2. Pedro viveu na Europa durante muitos anos.
usa roupas simples.
não gosta de televisão.
não toma bebidas alcoólicas.
só usa a água das termas.
tem filhos, mas não mora com eles.
interessa-se por muitos assuntos.

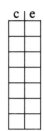

11 Adivinhe   D2

1. Ouça a fita e identifique os desenhos que se referem ao texto.
2. Qual dos desenhos traz a resposta?

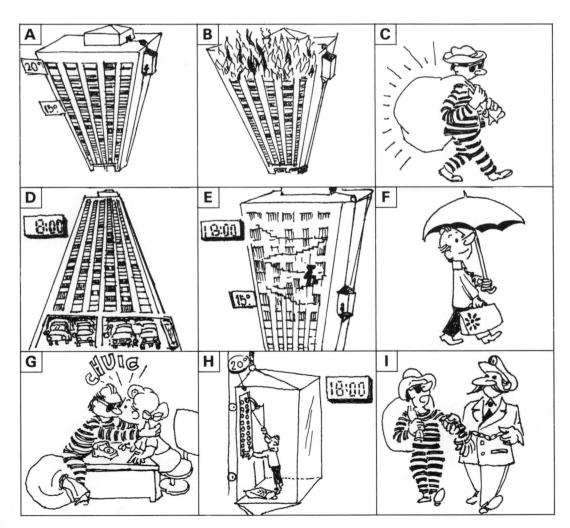

12 Dia e noite

Qual é o contrário?

bom	_____	responder	_____	saída	_____
último	_____	dar	_____	ordem	_____
doce	_____	ficar	_____	férias	_____
atrasado	_____	abrir	_____	dia	_____
contente	_____	perder	_____	inverno	_____
gelado	_____	comprar	_____		
grande	_____			tarde	_____
novo	_____	dentro	_____	antes	_____
baixo	_____	em cima	_____	mais	_____
melhor	_____	na frente	_____	devagar	_____
barato	_____				
limpo	_____				
barulhento	_____				
escuro	_____				
difícil	_____				
bonito	_____				

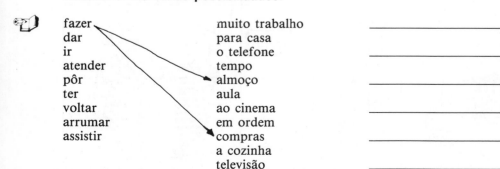

---

13 Fazer → compras, almoço...

Relacione. Há várias possibilidades.

fazer	muito trabalho
dar	para casa
ir	o telefone
atender	tempo
pôr	almoço
ter	aula
voltar	ao cinema
arrumar	em ordem
assistir	compras
	a cozinha
	televisão

_____

_____

_____

_____

_____

Revisão

JOGO DO TREM

Lição 2 — Lição 1

Instruções

Este jogo pode ser jogado sozinho em casa ou com os/as colegas em classe.

I — Em casa: um só jogador.

1. Você precisa de uma peça ⬙ e de um dado ⚄
2. Jogue o dado e responda à questão correspondente ao número que tirou.
3. Verifique as suas respostas imediatamente.
4. Some (+) os números das casas com respostas certas. Subtraia (−) os números das casas com respostas erradas.
5. O jogo termina ao chegar à casa 54.
6. Jogue o jogo várias vezes até conseguir no mínimo 250 pontos.

Como calcular os pontos? Exemplo:

1ª jogada: casa 6, certo	→	+ 6
2ª jogada: casa 11, certo	→	+ 11
		= 17
3ª jogada: casa 15, errado	→	- 15
		= 2
4ª jogada: casa 20, certo	→	+ 20
...		= 22

II — Em classe: 2 a 6 jogadores.

1. Cada jogador tem uma peça de cor diferente.
2. O primeiro jogador joga o dado e responde à questão correspondente ao número que tirou.
3. Se a resposta está certa, o jogador coloca sua peça nessa casa.
4. Se a resposta está errada, o jogador não avança.
5. Os outros jogadores fazem o mesmo.
6. Ganha quem chega à META primeiro com o número certo no dado.

O jogo começa na página seguinte

Lição 6 — Lição 5 — Lição 4 — Lição 3

1. Ele _____ francês.
2. Eu sempre almoço em casa.
   Amanhã _____ _____ na cidade.
3. o Você pode ir ao cinema?
   • Não, eu não _____ . Eu vou
   trabalhar.
   o E Sônia?
   • Ela também não _____ .
   Ela _____ estudar.

4. **Passe para o feminino.**

   Meu irmão é holandês.
   Este é nosso professor de inglês.

5. **Volte para 3.**

6. Eles _____ franceses? Não, eles são
   americanos.

14. o Mesa para _____ pessoas?
    • Para duas.

15. **Passe para o plural.**
    Eu não estou livre hoje.
    Nós não _____ _____ hoje.

16. **Que azar! Volte 3 casas!**

17. (ser/estar) Meu filho _____
    engenheiro e _____ no Canadá.

18. **Pule para o 21.**

19. Eu não gosto _____ Ricardo.

20. o_____ _____ vamos esperar?
    • Uns 10 minutos.

7. (**ser/falar**) Nós _____ brasileiros
   e _____ português.

8. Ele mora _____ Buenos Aires,
   _____ Argentina.

9. Eu me chamo Mário e ele
   _____ _____ Antônio.

10. o Onde estão seus irmãos?
    • _____ irmãos estão em casa.

11. **Que bom!**
    Você pode jogar duas vezes.

12. o_____ _____ _____ você vai
    ao dentista.
    • Às duas.

13. o_____ vocês vão ao Rio?
    • Nas férias de inverno.

21. Vou telefonar para você antes _____
    almoço ou depois _____ jantar.

22. **Ótimo! Avance 3 casas!**

23. **Leia os números:**
    1º, 2º, 3º, 1ª, 2ª, 3ª

24. José trabalha muito.
    A secretária _____ também.

25. Sílvia vai falar com o diretor.
    Os filhos _____ têm problemas na escola.

26. **Azar seu!**
    Volte para o 20.

27. Eles têm uma vida difícil porque o salário
    _____ é muito baixo.

28. As lojas _____ às 9 horas da manhã.

29. **Pule para o 35!** 🙂

30. Nós _____ vinho quando _____ pizza.
31. **Conjugue o verbo fazer no presente.**
32. **Conjugue o verbo querer no presente.**
33. (**preferir**) Eles _____ morar em São Paulo, mas eu _____ morar no Rio.
34. (**falar**) Silêncio! O Presidente está _____!

35. **Que pena. Volte para o 26!** 🙁
36. (**saber**) Eu não _____ o nome dela, mas o Alfredo _____.
37. **Conjugue o verbo visitar no pretérito perfeito.**
38. (receber/responder) Ontem eu _____ uma carta, mas ainda não _____.

47. ○ Onde você vai colocar o _____ ?
    ●
48. ○ Onde você vai colocar o _____ ?
    ●
49. ○ Onde você vai colocar a _____ ?
    ●
50. **Conjugue o verbo ter no pretérito perfeito.**

_____
_____
_____
_____

39. (**vender/comprar**) Anteontem eles _____ o apartamento e _____ uma casa.
40. ○ Você já abriu a garrafa?
    ● Não, eu ainda não _____.
41. **Qual a diferença?** Sibéria → Saara (frio) A Sibéria é _____.

42. **Não tenha pressa!** 😕
    Volte para o 40!
43. **Qual a diferença?** Fiat → Rolls Royce (caro)
44. **Qual a diferença?** casa 1 - casa 2 A casa 1 é _____.

45. **Pule para o 50!** 😊

46. ○ Onde você vai colocar as _____ ?
    ●

51. **Conjugue o verbo fazer no pretérito perfeito.**

_____
_____
_____
_____
_____

52. (poder/querer)
    ○ Vocês não _____ ir à festa ontem?
    ● _____, mas não _____.
53. (dar/poder/pronome pessoal)
    Ele me _____ o jornal ontem, mas até agora eu não _____ lê- _____.
54. Gostei muito da visita de seus amigos. Foi um prazer conhecê- _____.

Lição 7

1 Um pouco esquisito

Observe a ilustração e complete o texto com vocabulário de A1 e A2 do livro texto

O novo médico

Ele é um pouco esquisito. Tem uma ___cabeça___ minúscula.

As ___orelhas___ são enormes como as do Mickey. Os ___olhos___ são

pequenos, mas vivos. O ___nariz___ é feio, parece uma batata.

A ___boca___ é grande, vai de um lado a outro do rosto.

Realmente, ele é um pouco estranho, mas as mulheres gostam dele.

2 Falar com as mãos?

Relacione. Há várias possibilidades.

a boca _comer_

os olhos _observar_

lobes a orelha _ouvir_

o ouvido _ouvir_

o nariz _respirar_

legs as pernas _andar_

hand a mão _escrever_

feet os pés _correr_

fingers os dedos _discar_

head a cabeça _observar_

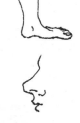

escrever

comer

cheirar

observar

ver

discar

andar

ler   falar

respirar

correr   pensar

assistir

escutar

ouvir   beber

54

arm o braço

Quais partes do corpo você associa com os desenhos?

1   *dedo, mão, pés*

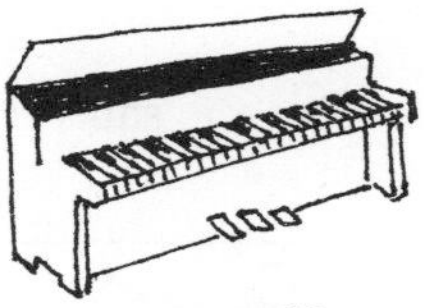

2   *olhos, orelha, nariz*

3   *ouvido, boca, mão*

4   *mão*

5   *mão, boca*

4 Conselhos   **A3**
                           A4

Relacione os conselhos com os problemas. Há várias possibilidades.

1 Estou trabalhando demais.
2 Meu filho está fumando.
3 O ônibus está atrasado. As pessoas ficam nervosas.
4 Este exercício é muito difícil.
5 Ela está muito mal.
6 A febre dela não diminuiu.
7 Meu vizinho é muito barulhento.
8 O chuveiro não está funcionando.
9 Não agüento fazer regime.
10 Não quero fazer minhas tarefas

a Elas têm que ter paciência.
b Você precisa estudar mais.
c Acho que você precisa conversar com ele.
d É melhor levá-la ao hospital.
e Você tem que descansar.
f Você tem que tirar férias.
g Você tem que falar com ele.
h Chame um táxi.
i Chame a polícia.
j Ligue 02 e fale com a recepção.
k Ela precisa ficar na cama.
l Então, não faça.

1 __f__   2 __c__   3 __h__   4 __b__   5 __k__

6 __d__   7 __i__   8 __j__   9 __l__   10 __b__

5 Verbos: *ver* e *sair*

	Presente			Pretérito perfeito	
ver	sair		ver	sair	
vejo	saio		vi	saí	
vê	sai		viu	saiu	
vê	sai		viu	saiu	
vemos	saímos		vimos	saímos	
vêem	saem		viram	saíram	
vêem	saem		viram	saíram	

2. Complete as frases com *ver* ou *sair* no presente ou pretérito perfeito.

a) Não <u>vejo</u> nada de interessante neste filme. E você, você <u>vê</u> ?

b) Normalmente os funcionários <u>saem</u> às 17.30 do trabalho.
Ontem eles <u>saíram</u> bem mais tarde.

c) O André está sempre com a namorada na lanchonete, mas ontem eu o <u>vi</u> com outra.

d) Não pude ver o show do Egberto Gismonti anteontem. Vocês <u>viram</u> ?

e) Não, não <u>vimos</u>. <u>Saímos</u> às 8 para <u>ver</u> o show, mas não conseguimos chegar lá por causa do trânsito.

---

6 Pronomes pessoais *lhe, lhes*

Complete.

a) O dentista explicou o problema para o paciente mas não <u>lhe</u> deu remédio.

b) Precisei falar com vocês, por isso <u>lhe</u> telefonei ontem à noite.

c) Ele disse ao médico que está com dores, mas não <u>lhe</u> explicou onde.

d) Só um psicólogo pode analisar os problemas que vocês têm e <u>lhes</u> dar conselhos.

Uma casa pode ser lindíssima.

Uma escultura é bonitíssima.

Um fim-de-semana é ótimo.

1. O que você vê no quadro?

Vejo cinco corações, cinco bocas, três olhos, três jornais, quatro mãos, um ônibus, sete pessoas, e dois pés.

2. Escreva as frases no plural.

Um lápis é útil.   Dois lápis são ainda mais úteis.

Um homem bonito é difícil.   Uns homens bonitos são difíceis.

Um olho azul é agradável   Uns olhos azuis são agradáveis.

Uma poltrona é confortável.   Umas poltronas são confortáveis.

Um mês de férias é bom.   Uns mês de férias são bons.

57

Conheça-se
a si mesmo!

1. Faça o teste e descubra sua personalidade. leia primeiro a descrição de cada item. Em seguida, preencha o quadro abaixo com pontos de 0 (muito baixo) a 5 (muito alto).

SOCIABILIDADE: Você gosta de desenvolver atividades em grupo, ou prefere fazer tudo sozinho?

IMPULSIVIDADE: Você toma decisões por impulso ou costuma planejar tudo detalhadamente antes de agir?

DISCIPLINA: Você é persistente? Os obstáculos não o fazem desistir facilmente de seus planos?

COMPETITIVIDADE: Ganhar e ganhar sempre é muito importante para você, ou você se conforma rapidamente quando perde?

CONCENTRAÇÃO: Você consegue ficar atento durante muito tempo ou é distraído?

vôlei

caratê

cooper

natação

tênis

remo

	0	1	2	3	4	5
SOCIABILIDADE						
IMPULSIVIDADE						
DISCIPLINA						
COMPETITIVIDADE						
CONCENTRAÇÃO						

2. Você está procurando um esporte como atividade de lazer?

Cada um dos esportes abaixo tem uma nota. Aponte em cada linha aquele que tem a mesma nota que você marcou em sua auto-avaliação na página 58.

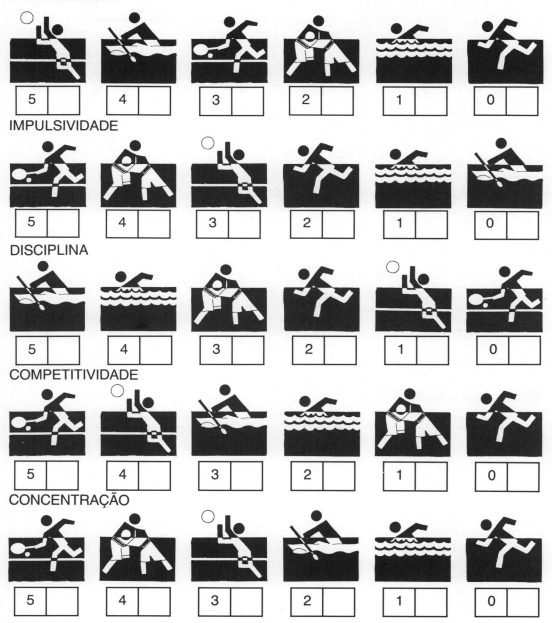

SOCIABILIDADE

5 · 4 · 3 · 2 · 1 · 0

IMPULSIVIDADE

5 · 4 · 3 · 2 · 1 · 0

DISCIPLINA

5 · 4 · 3 · 2 · 1 · 0

COMPETITIVIDADE

5 · 4 · 3 · 2 · 1 · 0

CONCENTRAÇÃO

5 · 4 · 3 · 2 · 1 · 0

Considerando o resultado acima, indique:

1. Os dois esportes mais adequados para você são: _____ e _____
2. Você não deve nem pensar em praticar: _____

3. Dê o nome dos esportes e aponte suas características.

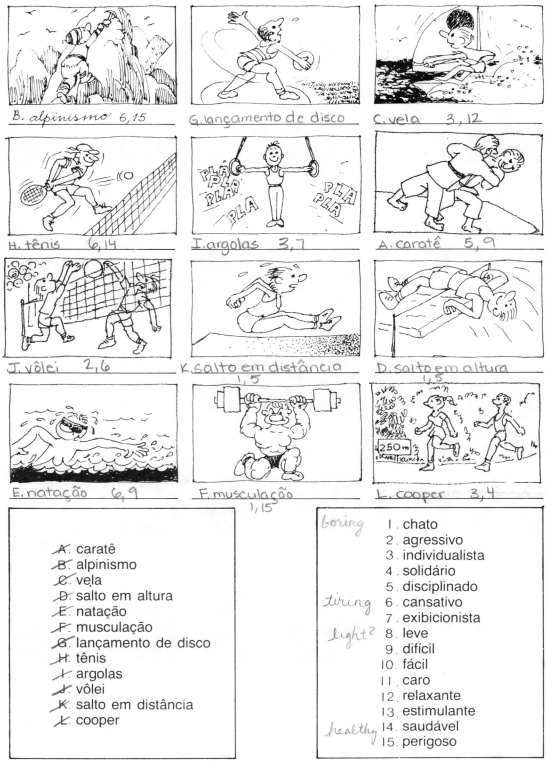

B. alpinismo 6,15

G. lançamento de disco

C. vela 3,12

H. tênis 6,14

I. argolas 3,7

A. caratê 5,9

J. vôlei 2,6

K. salto em distância 1,5

D. salto em altura 1,5

E. natação 6,9

F. musculação 1,15

L. cooper 3,4

A. caratê
B. alpinismo
C. vela
D. salto em altura
E. natação
F. musculação
G. lançamento de disco
H. tênis
I. argolas
J. vôlei
K. salto em distância
L. cooper

boring 1. chato
2. agressivo
3. individualista
4. solidário
tiring 5. disciplinado
6. cansativo
7. exibicionista
light? 8. leve
9. difícil
10. fácil
11. caro
12. relaxante
13. estimulante
healthy 14. saudável
15. perigoso

Leia estes trechos de um artigo e relacione os parágrafos com os desenhos.

a
Pode parecer exagero, mas, no primeiro dia de
sol, sua pele ainda está muito
clara e sensível. Use filtro quinze, que
a protege dos efeitos nocivos do sol.

b
Passe creme hidratante no corpo inteiro,
antes e após a exposição ao sol.

c
O rosto não deve ficar em contato direto
com o sol. Use chapéu de palha ou de
tecido; óculos de sol também ajudam.

d
Só o chapéu não é suficiente. Lave os
cabelos com xampu neutro.

e
Use roupas leves, claras, de tecidos
naturais de preferência.

f
Prefira água às bebidas alcoólicas. Beba
muita água. Coma verduras e legumes
cozidos. Aproveite a época e coma muita
fruta fresca.

a	b	c	d	e	f

D2   11 Pequenos cuidados para o verão (2)

1. Ouça a entrevista do rádio. Quais temas do artigo da revista são tratados pelo médico?

2. O que o médico disse?

Você tem que _____

É melhor usar _____

Tome _____

Não coma _____

E   12 Otimistas e pessimistas

Uma pessoa otimista se acha:

    aberta

    alegre

    calma

    extrovertida

    flexível

    forte

    linda

    desembaraçada

    simpática

Uma pessoa pessimista se acha:

fechada

triste

nervoso

reservado

dura

fraca

feia

tímida

antipática

Organize o diálogo.

A Como não?

B Está certo, mas ele vive disso, então é trabalho.

C Para mim, um pintor não trabalha.

D Não concordo! Ele não é produtivo.

E Ele não tem horário de trabalho e não tem salário.

— Ainda não entendi, mas o senhor está de parabéns...

2 Concordar e não concordar   **A1**
A2

Quais dos elementos abaixo você usa para concordar? E quais, para não concordar?

	concordar	não concordar
— está certo	concordo	
— é isso mesmo	concordo	
— desculpe, mas...		não concordo
— eu acho que não		não concordo
— não concordo		não concordo
— claro!	concordo	
— como não?		não concordo
— concordo	concordo	
— está errado		não concordo
— lógico!	concordo	

A 3   3 Direitos sociais

Relacione os temas abaixo aos parágrafos de A3 (pág. 76 livro-texto).

tema	§ parágrafos §
salário	VIII , IX ,XXIII , XXX
férias	XVII
horário de trabalho	XIII
direitos da mãe	XVIII
crianças	XVIII & XXXIII

A4   4 Nostalgia

Escreva por que antigamente Artur tinha uma vida bem melhor.

— ter tempo   Artur tinha muito tempo.
— não trabalhar   Ele não trabalhava.
— ter poucos deveres Ele tinha poucos deveres.
— vida tranqüila   Ele vidava tranqüila.
— descansar muito   Ele descansava muito.
— ficar em casa   Ele ficava em casa.
— ser feliz   Ele era feliz.

Complete.

trabalhar	— eu	*trabalhava*	ser	— nós	*éramos*
morar	— nós	*morávamos*	andar	— você	*andava*
sair	— vocês	*saíam*	escrever	— elas	*escreviam*
ser	— ela	*era*	ler	— eu	*lia*
vender	— eu	*vendia*	levantar	— ela	*levantava*
ter	— eles	*tinham*	dormir	— ele	*dormia*

6 Rotinas no passado   **B2**

Quando eu ia à escola...

usar uniforme	*Eu usava uniforme.*
estudar pouco	*Eu estudava pouco.*
levantar cedo	*Eu levantava cedo.*
ter 3 meses de férias	*Eu tinha 3 meses de férias.*
morar com os pais	*Eu morava com os pais.*
andar sempre de bicicleta	*Eu andava sempre de bicicleta.*

7 Descrição no passado   **B3**

1. Leia a história

Eu vejo um homem entrando no
apartamento do meu vizinho.
Não o conheço. Está escuro e
não vejo muito bem como ele é.
Poucos minutos depois, ouço
um barulho forte. Não sei o
que é.
Meu vizinho é um homem
estranho: ele não recebe
muitas visitas, sai muito
cedo, não fala com ninguém.

2. Agora conte a história.

*Ontem à noite eu vi um
homem entrando no apartamento
do meu vizinho...*

*Poucos minutos depois, ouvi um
barulho forte...*

8 Duas ações no passado

Faça frases.

a) nós - chegar
   eles - dormir

Quando nós chegamos, eles estavam dormindo.

b) Sandra - telefonar
   eu - tomar banho

Quando Sandra telefona, eu tomava banho.

c) nós - conhecer Paula
   nós - morar em Itu

Quando Nós conhecemos, nos morávamos em Itu.

d) Ilca - entrar na loja
   ela - fechar

Quando Ilca entra na loja, ela fechava.

e) eu - chegar ao Brasil
   o país - ser diferente

Quando eu cheguei no Brasil, o país era diferente.

f) o teatro - estar vazio
   nós - chegar

Quando o teatro esta vazio, nos chegávamos.

g) você - chamar
   eu - estar ocupado

Quando você chama, eu estava ocupado.

h) eles - casar
   eles - ainda ser jovem

Quando eles casam, eles ainda eram jovem.

9 Duas ações longas no passado

Faça frases.

a) eu - trabalhar
   ele - descansar

Enquanto eu trabalhava, ele descansava.

b) ele - procurar os papéis
   ele - falar

Enquanto ele procurava os papéis, ele falava.

c) nós - fazer o teste
   o professor - ler o jornal

Enquanto nos fazia o teste, o professor lia o jornal.

d) ele - cuidar do filho
   ela - viajar pelo Brasil

Enquanto ele cuidava do filho, ela viajava pelo Brazil.

e) vocês - assistir TV
   o vizinho - estar sendo assassinado

Enquanto vocês assistia TV, o vizinho estava sendo assassinado.

10 Pretérito perfeito ou imperfeito?

No fim-de-semana passado _____ (ir) a uma festa. _____ algumas pessoas

interessantes, mas também _____ muita gente chata (conhecer, ter).

Meu amigo Nélson _____ demais e _____ mal (beber, passar).

Depois da festa ainda _____ à casa de Neusa (ir). Quando _____

ela já _____ dormindo (chegar, estar). Ela não _____ nada da visita

(gostar).

Raquel está procurando trabalho em São Paulo. Ela escreve uma carta a Nilton, seu namorado, que mora em Coruripe, Alagoas. Escreva a carta utilizando as ilustrações e frases abaixo.

— ler jornal
— encontrar anúncio

— pegar ônibus às 7.30
— ônibus estar cheio
— ônibus demorar 1 hora

— ter mais de
  15 pessoas na fila
— muitas pessoas
  procurar emprego

— fazer teste
— teste ser difícil

— fazer entrevista
— estar nervosa

— voltar para casa
— demorar 1.30 hora

— estar cansada e
  com fome
— jantar

— chegar a resposta
— resposta ser negativa

São Paulo, 18/7

Oi, Niltinho,

Tudo bem com você? Eu estou mais ou menos, ainda procurando trabalho.

Na semana passada estava lendo o jornal e encontrei um anúncio interessante. No dia seguinte...

10 amigos queriam saber quem era o mais rápido.

9 Edson   7 Zeca   5 Airton   3 Paulo   1 Juca

10 Mário   8 Róbson   6 Nélson   4 Luís   2 Marcelo

Depois da corrida, estes são os resultados:

Luís chegou entre Paulo e Airton   *between*

Airton, Nélson e Zeca chegaram nesta ordem.

Ninguém chegou depois de Mário.   *after*

Róbson chegou logo depois de Zeca.   *after*

Edson chegou um pouco antes de Mário.   *before*

Paulo chegou depois de Juca e Marcelo, nesta ordem.   *after*

Escreva em que ordem cada um chegou.

Mário *chegou em décimo lugar.*   Juca *chegou em premeiro lugar.*

Róbson *chegou em oitavo lugar.*   Luís *chegou em quarto lugar.*

Paulo *chegou em terceiro lugar.*   Edson *chegou em nono lugar.*

Zeca *chegou em sétimo lugar.*   Nélson *chegou em sexto lugar.*

Marcelo *chegou em segundo lugar*   Airton *chegou em quinto lugar.*

Os números ordinais acima de 10 são pouco usados no dia-a-dia.

Dois usos comuns são:

— **numeração dos andares de prédios**

Ela mora no décimo-sexto andar.

— **numeração de eventos periódicos**

XXII BIENAL DE LIVROS = Vigésima-segunda...

DADOS PESSOAIS

Nome: Alberto Santos Dumont
Data de nascimento: 20 de julho de 1873 na Fazenda Cabangu, Minas Gerais
Nacionalidade: brasileira
Estado Civil: solteiro
Profissão: inventor, piloto

FORMAÇÃO

Curso Superior

Mecânica e Física com professor particular em Paris 1891-1896

Outros Cursos

Piloto de balão 1897 — Paris
Construtor de balões 1898-1899 — Paris

Idiomas

Português
Francês

EXPERIÊNCIA PROFISSIONAL

Construtor de balões   1898 — 1905
Construtor de aviões   1906 — 1913
Invenções: avião, relógio de pulso, etc.
1º vôo em dirigível   1901 — Paris
1º vôo em avião   1907 — Paris

**Agora escreva seu próprio currículo, usando o dicionário se necessário.
Mostre-o para seus/ suas colegas e para o/ a professor/a.**

A seguir mais informações sobre o Brasileiro Voador.

14 O Brasileiro Voador

Trechos do romance de Márcio Souza
sobre a vida do pioneiro da aviação
Alberto Santos Dumont.
Nascido em Minas Gerais e criado em
São Paulo, Santos Dumont passou seus
anos mais criativos em Paris entre
1892 e 1915, onde construiu balões e,
a partir de 1906, aviões.
Em 1917, voltou para o Brasil.
Suicidou-se em 1932, no Guarujá,
no Estado de S. Paulo.

1. Observe as ilustrações, e depois leia o texto abaixo:
   Qual delas descreve melhor o conteúdo do texto?

O Fazendeiro no Ar

Tarde de inverno, um vento frio e úmido sopra no campo de Bagatelle. Uma multidão, onde os amigos de Alberto se misturam, o 14-Bis. A direção do Aero Clube de Paris, sob o comando de Archdeacon, está presente. Os mecânicos dão os últimos retoques no avião. Calmo, Alberto conversa animadamente com Sem e Antônio Prado. Voisin, nervoso, se aproxima.

— A velocidade do vento está aumentando!
— Fica tranqüilo, rapaz.
— Pode ser perigoso...
— O 14-Bis não é um balão, nem um planador...

Chapin acerca-se de Alberto.

— O aparelho está pronto.
— Vamos subir.
— Vou voar, agora.
— São cinco para as quatro.
— No meu são quatro horas.
— Vou mandar os observadores ficarem a postos.

Alberto dirige-se para o 14-Bis, abrindo espaço entre a multidão, enquanto Archdeacon ordena aos observadores do Aero Clube que fiquem a postos. Subindo no 14-Bis, Alberto faz sinal para Chapin dar a partida no motor. A multidão, atraída pelo ruído, aproximou-se do avião.

—Afastem-se... preciso de espaço...

O 14-Bis movimenta-se e a multidão afasta-se, alguns corren-do. O aparelho toma velocidade e as pessoas prendem a respira-ção. Quando o 14-Bis já tinha percorrido quase a metade do cam-po, Alberto gira o comando para trás.

O comprimido nariz ergue-se com delicadeza e os observado-res do Aero Clube, que corriam ao lado do aparelho, jogam-se so-bre a grama molhada. Mas as duas frágeis rodas de bicicleta já não estão no chão, e eles gritam, maravilhados.

— Subiu, subiu dez centímetros.

— Subiu vinte centímetros.

— Agora está a trinta centímetros.

— Já está a cinqüenta centímetros...

— Mais de um metro, e está subindo, incrível, está voando.

O contorno branco e elegante do aparelho toma as alturas e começa a descrever uma delicada curva para a esquerda.

— Incrível, está voando...

— Meu Deus, ele conseguiu.

— Olha, olha, que coisa linda...

— Maravilhoso, maravilhoso...

Mas o 14-Bis logo começa a perder velocidade, iniciando uma brusca descida. As pessoas abrem a boca e há uma tensa expectati-va. O 14-Bis, já com o motor desligado, faz uma aterrissagem brus-ca e as rodas são arrancadas, mas o avião pára, sem maiores ava-rias. Cai um silêncio onde apenas as respirações são ouvidas, até que Chapin dá um salto de alegria.

— Viva Santos Dumont!

Todos gritam de alegria e correm para o avião estacionado. Na frente, esforçando-se para manter uma vantagem sobre a multidão, correm Archdeacon e seus observadores. Logo atrás, Voisin e Blé-riot também correm.

A multidão finalmente cerca o aparelho e vira tudo uma gran-de festa. Garrafas de champanha são abertas e Alberto é carregado em triunfo.

— Vocês viram, é um momento histórico. Com Petitsantôs o homem conquistou o espaço.

— Parece que uns americanos já voaram antes.

— Talvez tenham voado, mas se há um americano que realmente voou perante os olhos da multidão, esse americano é Alberto San-tos Dumont...

2. Coloque as frases abaixo na ordem do texto:

Antes do vôo: _____

O vôo: _____

Depois do vôo: _____

1 As pessoas estão eufóricas.

2 As pessoas ficam surpresas.

3 O vento fica mais forte.

4 Alguém diz que Alberto não é o primeiro.

5 Alberto decide tentar voar mesmo assim.

6 O avião corre pela grama.

7 Ele volta ao chão.

8 Os mecânicos preparam o avião.

9 O avião sobe mais do que um metro.

10 As pessoas correm para ver Alberto.

11 Ele vira à esquerda.

71

1. Leia as fichas e depois ouça a fita.
   Qual das pessoas está sendo entrevistada?

Nome: Carlos Fontes
Idade: 23
Estado civil: solteiro
Formação: Administração de Empresas
Experiência: 1 ano (vendas)
Comentários: dinâmico, falador

Nome: Pedro Paulo Ferreira
Idade: 32
Estado civil: solteiro
Formação: Propaganda e Marketing
Experiência: 7 anos (assistente de vendas)
Comentários: calmo, inteligente

Nome: Robson Carvalho Neto
Idade: 27 anos
Estado civil: casado
Formação: Marketing
Experiência: 2 anos (vendas)
Comentários: muito inteligente,
                 um pouco tímido

2. Ouça a fita novamente e diga se as informações abaixo estão certas ou erradas.

O candidato

	c	e
- não tem experiência em vendas.		
- era gerente de vendas.		
- trabalhou em várias firmas.		
- é casado.		
- quer trabalhar no ramo de vestuário.		
- gosta de estatísticas.		

3. A firma vai contratar a pessoa?

P	L	A	C	C	A	M	A	W	L	K	O	A	P	A	R	T	A	M	E	N	T	O	L	L	I	E	A	O
O	A	R	S	O	B	R	A	D	O	Z	E	S	T	O	M	A	G	O	R	A	L	E	G	R	E	L	R	L
L	R	A	I	R	Y	Q	R	A	L	L	E	G	U	M	E	S	R	I	N	D	E	R	D	O	R	E	A	O
U	A	O	S	A	L	U	O	P	F	O	X	A	L	T	O	I	I	F	E	I	J	A	O	D	A	V	P	D
R	N	S	O	C	I	A	C	P	E	R	I	O	D	O	I	N	T	E	G	R	A	L	C	E	M	A	O	U
M	J	A	E	A	M	C	I	A	R	P	O	S	T	S	Y	M	O	B	I	F	E	W	E	G	A	D	N	M
A	A	M	S	O	O	N	Q	U	I	N	T	A	L	S	W	C	G	R	O	P	E	R	A	R	I	O	G	U
S	X	I	T	I	T	R	A	B	A	L	H	A	R	E	N	A	O	E	L	A	M	I	L	I	O	R	A	S
C	I	C	A	D	E	I	R	A	S	X	G	R	E	V	E	B	R	Y	H	P	P	B	A	P	I	N	A	E
H	K	A	N	N	B	G	R	Z	A	C	U	C	A	R	R	E	D	S	O	O	R	A	D	E	N	T	E	N
I	O	L	T	O	R	O	O	B	A	I	X	O	C	O	V	C	O	A	Z	D	E	D	O	I	M	P	I	S
L	R	L	E	E	A	L	Z	D	E	M	I	S	S	A	O	A	D	L	U	F	G'	S	O	L	O	U	L	U
O	A	B	E	L	C	D	A	V	I	D	U	L	A	M	S	X	I	A	L	U	O	M	A	T	O	B	I	A
P	E	N	S	A	O	F	A	R	O	F	A	E	I	H	O	R	A	R	I	O	F	L	E	X	I	V	E	L
A	H	I	L	F	S	I	M	P	A	T	I	C	O	R	I	O	T	I	M	I	D	O	T	O	N	I	D	A
R	A	N	U	I	L	L	A	R	Q	U	A	R	T	O	N	I	C	O	Z	I	N	H	A	C	R	O	A	L
X	U	A	N	X	R	E	S	E	R	V	A	D	O	S	C	H	O	E	L	L	E	R	R	H	E	I	N	L
E	L	R	D	I	A	T	I	V	O	O	F	E	N	H	E	I	M	A	S	T	S	A	L	A	R	A	M	E

Procure no quadro acima na horizontal e na vertical:

A 10 palavras/termos relacionados ao trabalho.
B 10 palavras relacionadas à comida.
C 10 palavras relacionadas ao corpo e a doenças.
D 10 palavras relacionadas a características de pessoas.
E 10 palavras relacionadas à casa.

Complete as palavras com os sinais gráficos: ´ ^ ` ~   e cedilhas ç:

Exemplo: PENSAO = pensão, CABECA = cabeça

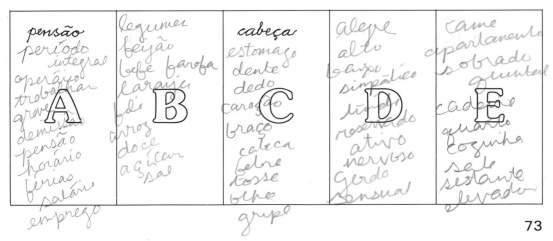

A	B	C	D	E
pensão	legumes	cabeça	alegre	carne
período	feijão	estomago	alto	apartamento
integral	bebê farofa	dente	baixo	sobrado
operário	laranja	dedo	simpático	quintal
trabalhar	pão	caroço	lindo	cadeira
greve	arroz	braço	reservado	quarto
demissão	doce	cabeça	ativo	cozinha
pensão	açúcar	febre	nervoso	sete
horário	sal	tosse	gordo	sestante
ferias		olho	sensual	elevado
salário				
emprego		grupo		

73

Lição 9

1 Roupa

O que eles estão usando?

os óculos

a suéta

o cinto

as meias

a camisa

o terno

o anel

o lenço

os sapatos

a camiseta
o short
o colar

o vestido

os sapatos tênis

sapatos de salto alto

Escolha os elementos certos para completar os diálogos.

① • Pois não? Posso ajudá-la?

f). *Gostaria de ver aquela blusa.*

② • *Tem em vermelho?*

○ Não. Só temos em amarelo. Mas amarelo fica muito bem na senhora

③ • Qual é o seu tamanho?

a) ○ *Não sei, acho que é 40.*

④ • *Posso experimentar?*

○ Claro. O provador fica ali perto da caixa.

⑤ • Vai pagar em dinheiro ou cheque?

○ *Vocês aceitam cartão?*

• Só American Excess.

a) Não sei, acho que é 40.

b) Pois não?

c) Vocês aceitam cartão?

d) Pode pagar ali no caixa.

e) Fique à vontade.

f) Gostaria de ver aquela blusa.

g) Quanto custa?

h) Tem 1,73 m.

i) Tem em seda?

j) Tem em vermelho?

k) Mais alguma coisa?

l) Posso experimentar?

3 O que vestir?   **A1**
                       A3

O que você veste quando vai...

... ao teatro	... jogar tênis	... ao supermercado?
sapato	tênis	sapato
calça	short	jeans
saia	cueca	saia
vestido	camiseta	short
terno		vestido
cueca		cueca
camiseta		camiseta
blusa		blusa
colar		
brincos		

sapato
tênis
jeans
calça
saia
short
vestido
terno
cueca
calcinha
camisa
camiseta
blusa
colar
brincos
...

4 Verbo irregular *pôr*

1. Complete com o verbo pôr na forma adequada.

a) Eu nunca _ponho_ paletó e gravata porque não trabalho mais em escritório. Anti-gamente eu _punha_ , mas não gostava.

b) Ontem eles _puseram_ roupa esporte porque foram a um churrasco.

c) Puxa, que calor! De manhã, quando me vesti, eu _pus_ roupa de lã, mas agora está muito quente.

2. Dê respostas afirmativas curtas com *pôr* ou *poder*.

a) • Você põe açúcar no café?   • _Ponho_

b) • Você pode ajudar?   • _posso_

c) • Ele já pôs açúcar?   • _Pôs_

d) • Você pode ajudá-la?   • _posso_

e) • Vocês põem a mesa todo dia?   • _Pomos_

f) • Eles já puseram o quarto em ordem?   • _puseram_

g) • Vocês podem vir amanhã?   • _podemos_

h) • Vocês puderam resolver o problema?   • _pudemos_

i) • Antigamente vocês podiam tirar férias todo ano? • _podíamos_

j) • Antigamente ela punha o dinheiro embaixo da cama? • _punha_

k) • Você pode parar com isso, por favor?   • _posso_

5 Verbo irregular *vir*

1. Complete o texto.

Ele não me ama mais.

Quando ele _vem_ me visitar, fica aqui só meia hora. Antigamente quando ele _veio_ , passava o dia comigo. Era tão bom... No domingo passado, ele não _vinha_ porque "não teve tempo". Ah! Fiquei o dia inteiro esperando por ele.

2. Complete o diálogo.

Mãe e filhos.

o Por que vocês não _vieram_ ontem?

• Porque não pudemos. Tivemos muito trabalho.

o Mas antigamente vocês _vinham_ aqui todo dia.

• É, eu sei. Mas agora não podemos mais _vir_ como antigamente porque as coisas mudaram.

6 *Vir* e *ver*   B2

1. Complete com as formas do presente.

a) Quando _venho_ aqui, eu sempre _vejo_ você.

b) Quando meu chefe _vem_ aqui, ele sempre _vejo_ você.

c) Quando nós _vimos_ aqui, nós sempre _vemos_ você.

d) Quando meus amigos _vêm_ aqui, eles sempre _vêem_ você.

2. Complete com as formas do pretérito perfeito.

a) Ontem eu _vim_ aqui, mas não _vi_ vocês.

b) Ontem todo mundo _veio_ aqui, mas ninguém _viu_ vocês.

c) Ontem nós _viemos_ aqui, mas não _vimos_ vocês.

d) Ontem seus colegas _vieram_ aqui, mas não _viram_ vocês.

3. Cuidado!

Complete os balões.

Veja!! Ele está _vindo_ em nossa direção!

Onde? Onde? Não estou _vendo_! Onde?

60 km

7 Ir e vir

Complete o diálogo entre mãe e filho no telefone.

o Você ___vem___ para cá no Dia das Mães?

• Vou

o Com quem você ___vem___?

• Não sei. Acho que com Luísa. Ela gostaria muito de ___ir___ aí para conhecê-la.

o Ótimo! Como vocês ___vêm___?

• ___Vamos___ de táxi. Não posso ___ir___ de carro.

o Por quê?

• Estou sem.

8 Uma vida com mais saúde

Para ter uma vida com mais saúde, o que você faria?

1 Dormir 8 horas por dia — *Dormiria 8 horas por dia.*

2 Fazer ginástica logo cedo — *Faria ginástica logo cedo.*

3 Andar menos de carro e mais a pé — *Andaria menos de carro e mais a pé.*

4 Comer só nas horas certas — *Comeria só nas horas certas.*

5 Beber menos cerveja e vinho — *Beberia menos cerveja e vinho.*

6 Dizer "não" a doces e massas — *Dizeria "não" a doces e massas.*

7 Ir mais à piscina e menos ao bar — *Iria mais à piscina e menos ao bar.*

8 Parar de fumar — *Pararia de fumar.*

9 Ir ao médico duas vezes por ano — *Iria ao médico duas vezes por ano.*

10 Ter mais tempo para descansar — *Teria mais tempo para descansar.*

Complete o anúncio com os verbos abaixo.

partir poder dormir andar vestir usar levar subir entrar sair

Curtindo o verde

Caminhada de São Francisco Xavier a Monte Verde

No próximo dia 20 de maio, nós
partiremos de São Francisco
Xavier, pequeno povoado que ainda
não aparece no mapa.

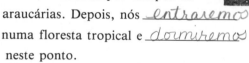

Nós _subiremos_ as montanhas
e _andaremos_ por campos de
araucárias. Depois, nós _entraremos_
numa floresta tropical e _dormiremos_
neste ponto.

No segundo dia, _sairemos_ em direção
a Monte Verde, subindo o Chapéu do Bispo

Os participantes _levarão_ saco de dormir, mochila
pequena, cantil, capa de chuva, boné, lanternas com pilhas,
repelente e saco plástico para lixo. Sem esse equipamento,
você não _poderá_ participar.

Não esqueça: Você _vestirá_ roupas leves e largas,
e _usurá_ sapatos confortáveis e resistentes, com
sola aderente (de preferência usados).

Faça já sua inscrição. Poucas vagas.

**NOVA TRILHA - RUA LUIS CANUDO, 1347,
04827 SÃO PAULO, FONE 259 8736**

Você está preparado para viver no Brasil?

Faça este teste e saiba a resposta!

1. **Leia as frases e indique sua opinião dando valor 0 (= não concordo de jeito nenhum) a 5 (= estou 100% de acordo) a cada item.**

2. **Some os seus pontos e consulte a tabela abaixo para saber seu resultado.**

Para mim...

Frase	0	1	2	3	4	5
... a pontualidade é muito importante.			2			
... é absurdo começar uma festa às 11 da noite.	0					
... — "Passe lá em casa um dia desses." — é realmente um convite.					4	
... é importante ser direto e objetivo. Se as pessoas não gostam disso, é problema delas.						5
... é absurdo esperar na fila. Não tenho tempo para isso.				3		
... é impossível viver numa casa sem aquecimento em dias frios ($\pm$ 15°C).			2			
... fazer planos é condição necessária para o sucesso.				3		
... o sol é muito importante, mas não entendo como algumas pessoas podem ficar na praia o dia inteiro.		1				
... comer carne não é importante.			2			
... visita só com convite formal.			2			
... o carnaval é uma festa popular muito interessante, mas deveria ser comemorado só no sábado e domingo.		1				

_25_

Se você tem de

0-20 pontos	21-40 pontos	41-55 pontos
Que tal rever as suas respostas? Foram honestas? O Brasil não é tão tropical assim.	Você não vai ter grandes dificuldades para viver entre os brasileiros.	Pense duas vezes antes de sair do seu país. Você pode ter dificuldades de adaptação em qualquer lugar do mundo.

1. Observe as três ilustrações. Ouça a fita e indique o diálogo a que cada uma se refere.

diálogo ☐

diálogo ☐

diálogo ☐

2. Ouça os diálogos um a um novamente e indique as respostas certas.

Festa

O problema é que

☐a os convidados chegaram muito antes da hora marcada.

☐b os convidados chegaram na hora.

☐c a família já deveria estar pronta, mas não está.

Roupa

O problema é que

☐a o chefe acha a roupa da Lídia inadequada.

☐b Lídia está usando roupa informal demais no trabalho.

☐c os colegas gostam do estilo da roupa da Lídia.

Churrasco

O problema é que

☐a Waldemar é muito amigo do Hans.

☐b Hans chegou com muitos amigos.

☐c Waldemar convidou Hans e mais três pessoas.

1. Examine o formulário do hotel e marque todas as palavras que você conhece.

ROL DE LAVANDERIA		Nº 14417
Sr............................. Apto............................. Hora........................... /........................		
Data........../........../.......... Aprontar........../........../..........	Hora........../..........	
SENHORA	SENHOR	CRIANÇA
DISCRIMINAÇÃO	DISCRIMINAÇÃO	DISCRIMINAÇÃO
Meias	Meias	Meias
Lenço	Lenço	Fralda
Calcinha	Cueca	Calção
Camisola	Camisa social	Camisa
Pijama	Camisa esporte	Calça
Peignoir	Pijama	Camiseta
Blusa	Robe	Pijama
Soutien	Paletó	Roupão
Saia	Calça	
Vestido longo	Terno	Blusa de lã
Vestido curto	Smoking	
Saia longa	Blusa de lã	Babador
Saia pregueada	Jaqueta	Calça plástica
Maiô	Japona	Macacão
Calça comprida	Bermudas	
Casaco curto	Calção	
Casaco longo	Capa chuva	
Conjuntos		
Blusa de lã		
L — Lavar P — Passar L/P — Lavar/passar	Urgência: 100%	

OBS.: Para qualquer recomendação especial e para evitar desentendimento sobre a roupa, é favor chamar a GOVERNANTA (Fone 216).
As roupas serão entregues diariamente até às 20 hs. Prazo normal para entrega: 2 dias, excluindo domingos e feriados.
NÃO ASSUMIMOS RESPONSABILIDADE POR QUALQUER ROUPA QUE POSSA DESBOTAR OU ENCOLHER NA LAVAGEM.

Por PERDA ou DANO de qualquer peça o Hotel responde somente até o valor de 10 vezes o preço cobrado pela lavagem da roupa.

_____   _____
        Assinatura Hóspede   Camareira
8608 - 100 bls. 1x50

2. Certo ou errado?

De acordo com o formulário, a lavanderia do hotel
a) lava qualquer tipo de roupa (esporte e formais).
b) não trabalha aos domingos e feriados.
c) entrega roupa lavada e passada em 24 horas.
d) responsabiliza-se por qualquer problema com a roupa.
e) paga o valor total da roupa se você não a receber de volta.

c	e

1 Branco com preto dá _cinza_   5 Vermelho com azul dá _roxo_

2 Preto com azul dá _azul escuro_   6 Azul com branco dá _azul claro_

3 Azul com amarelo dá _verde_   7 Branco com vermelho dá _rosa_

4 Amarelo com vermelho dá _laranja_ 8 Branco com marrom dá _marrom claro_

14 Branco como ...   E

Relacione.

Branco

Vermelho

Azul   como

Verde

Preto

Amarelo

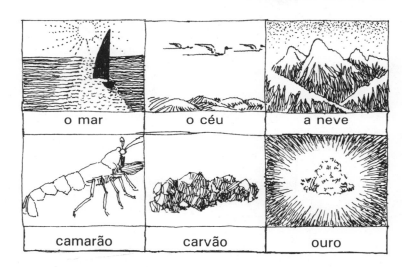

| o mar | o céu | a neve |
| camarão | carvão | ouro |

15 Um vestido branco-gelo   E

Explique as cores. As palavras ao lado ajudarão você. Dê pelo menos um exemplo para cada cor. As vezes há mais possibilidades.

vestido branco → um _branco-gelo_

amarelo → uma camiseta _canário_

azul → um paletó _piscina_

marrom → um sapato _café_

rosa → uma blusa _bebê_

verde → uma bolsa _limão_

vermelho → uma saia _tomate_

tomate
piscina
canário
ouro
bebê
abacate
sangue
café
manteiga
mar
limão
noite
petróleo
jacaré
chocolate
gelo

Lição 10

A1 1 A família
A2

REPÚBLICA FEDERATIVA DO BRASIL

ESTADO DE SÃO PAULO
30.º SUBDISTRITO — IBIRAPUERA
MUNICÍPIO E COMARCA DA CAPITAL

Julio Guilger Simões
SERVENTUÁRIO

Av. Padre Antonio José dos Santos, 546 - Brooklin - São Paulo - Fone: 533-5744 - CEP 04563

C E R T I D Ã O

LIVRO A-181 .:.   FOLHAS 290 .:.:.:.:   TÊRMO 108.095.:.

CERTIFICO que aos 25 de Junho de 1.990 .:.:.:

no livro, folhas e têrmo supra foi registrado o NASCIMENTO de: Maíra Sontag

Gonzalez .:.:.:.:.   às 17:00 horas

nascid a aos 12 de Junho de 1.990 .:.:.

neste subdistrito, no Hospital Israelita Albert Einstein .:.:

.:.:.:.:.:

.:.:.:.:   do sexo feminino .:.

filh a de Marcelo Fernando Gonzalez Bergweiler e Margarethe Sontag

ele nat. do Chile, ela nat. do Rio de Janeiro. Avós paternos: -

Emilio Fernando Gonzalez Gomez e Berta Gisela Bergweiler Ernstes

Avós maternos: Peter Sontag e Lore Liese Sontag .:.:.:.

.:.:.:.:.:.:

OBSERVAÇÕES: .:.:.:.:

Nada mais. São Paulo, 25 de Junho de 1.990 .:.:.:   . Datilografada

e conferida por: Tamar .:.:   (   )

O referido é verdade e dou fé

Registro Civil e Tabelião
30 o subdistrito Ibirapuera
Escrivão Julio Guilger Simões

Reconheço a firma ao lado de
TAMAR SIMÕES FRAGNAN
⟶ e dou fé.
São Paulo 25 | 6 | 1990
Em teste da verdade e Tabelião

Total devido (Certidão e Reconhecimento de Firma):59,12 /

84

Quem é quem? Leia a 'Certidão' e escreva frases como no exemplo.

a) Maíra é → de Marcelo.
b) Marcelo é → de Maíra. *pai*
c) Margarethe é → de Maíra. *mãe*
d) Marcelo é → de Margarethe. *esposo*
e) Berta é → de Maíra e → de Margarethe.
  avó *sogra*

Maíra é filha de Marcelo.

f) Emílio é → de Maíra e → Margarethe. *avô* *sogro*
g) Maíra é → de Lore e Peter e → de Emílio e Berta também. *neta* *neta*
h) Marcelo é → de Peter e Lore. *genro*
i) Margarethe é → de Emílio e Berta. *nora*

Um retrato fiel

De 177 questionários distribuídos por VEJA e respondidos por casais e pais separados em sete capitais brasileiras, surgiu um retrato bastante nítido da família da classe média. A pesquisa foi feita com pais de alunos da 4.ª série primária de escolas particulares. A média de idade dos pais é de 42 anos e das mães, de 38 anos

Organização da família

Casados	**80,8%**
Desquitados e divorciados	**9,6%**
Viúvos	**1,7%**
Vivem juntos	**1,7%**
Média de filhos	**2,4**

* Os pais vêm de famílias com 4,8 filhos

Mais dinheiro, menos filhos

Número médio de filhos por mulher no Brasil de acordo com a renda familiar

Menos de 1 salário mínimo	**4,73**
1 a 2 SM	**4,58**
2 a 3 SM	**3,34**
3 a 5 SM	**2,75**
5 SM e mais	**1,91***

* Há indícios de que o número de filhos das mulheres urbanas continue caindo depois de 1984, ano da pesquisa acima. Em 1988, o psicólogo Geraldo Romanelli, da Universidade de São Paulo, entrevistou cerca de 200 casais com renda acima de vinte salários mínimos em São Paulo. Os casais tinham em média 1,8 filho

2 A família brasileira   A2

1. Veja este quadro, publicado pela revista 'Veja', sobre a organização da família no Brasil de hoje e depois preencha o texto com palavras do quadro.

Nos anos 90, a maioria das famílias da classe média alta se constitui de pais _casados_, com média de _2,4_ filhos. Apenas 1.7% _vivem juntos_ sem serem casados legalmente. Este número é o mesmo dos _viúvos_. Já o número de _desquitados_ e _divorciados_ não chega a 10%. De uma geração para a outra, a média de filhos caiu pela metade: de _4,8_ na família dos pais para _2,4_ na própria família.

De acordo com este quadro, feito em 1984, as famílias mais pobres, que ganham _menos de 1 salário mínimos_ têm o maior número de filhos. A partir de _2_ a _3_ salários mínimos, a média de filhos (3.34) começa a cair. Observa-se também que as famílias que vivem com _mínimos e mais_ têm em média 1.91 filhos.

3 Verbo irregular *trazer*

Complete com o verbo trazer.

a) Gosto desta revista porque sempre __*traz*__ reportagens excelentes.

b) Os senhores __*trouxeram*__ os documentos que lhes pedi para esta reunião?

c) Que lindo quadro! Toda vez que viajam, vocês __*trazem*__ coisas belíssimas.

d) A secretária ainda não __*trouxe*__ a correspondência.

e) Com mais dinheiro eu sempre __*traria*__ diamantes e anéis de ouro das minhas viagens para você, meu amor. Mas com meu salário...

4 *Levar* e *trazer*

Complete os diálogos com levar/ trazer.

a)

o Vamos passar o fim de semana no sítio em Piraquara?

• Não sei... é longe... estou cansada. E vocês vão __*levar*__ aquela moça chata de São Paulo...

o Que bobagem, Célia. O Bernardo nos __*leva*__ na sexta e o Jorge nos __*traz*__ no domingo à tarde.

b)

o Norberto, o que você vai __*levar*__ na festa da Isabel?

• Talvez uma garrafa de vinho que __*trouxe*__ da França.

o Então eu __*vou levar*__ uma garrafa de pinga que Raquel e eu __*traremos*__ do Nordeste para a batida.

c)

o Lúcia, você me empresta este livro?

• Empresto. Mas você __*leva*__ hoje e __*traz*__ na 2.ª de manhã, ouviu? Senão o Geraldo...

d)

o Cadê a fita de vídeo que estava aqui?

• Eu __*levei*__ para ver em casa. Algum problema?

o Como?! Eu também queria ver hoje! Não se deve __*levar*__ nada sem avisar!

• Calma, Raimundo. Eu não sabia. Eu __*trago*__ depois do almoço. Que coisa!

Você sabe o que significa a palavra 'fofoca' em português? Complete o diálogo entre duas 'fofoqueiras' com *saber/conhecer* e você vai descobrir.

o Eu __soube__ que a Marli vai se casar de novo.

• Ah é? Eu nem __sabia__ que ela era divorciada. E você __conhece__ o novo marido?

o __conheço__. É um comerciante grego que tem parentes no Brasil.

• É bonito?

o Olha...

• E a Marli __sabe__ falar grego?

o __sabe__ um pouco. Está aprendendo.

• E ela __conhece__ a família dele?

o Ainda não. Eu __soube__ ontem que eles vão para a Grécia e ela vai aproveitar para __conhecê__ -la.

• E você __sabe__ onde eles vão morar?

o Não __sei__. Puxa, eu só disse que ela vai se casar...

Fazer 'fofoca' significa
a conversar com uma outra pessoa.
→ b levar e trazer informações pessoais sobre outras pessoas.
c não falar a verdade.

---

on separate page

Sozinho, numa ilha deserta, o que você faria?

— comer macacos
— vestir uma folha de bananeira
— dormir na rede
— trazer peixe do mar
— escrever poemas
— fazer roupas e sapatos naturais
— cantar o dia inteiro
— construir um barco
— aprender a língua dos animais
— saber como ficar rico
— encontrar o Sexta-Feira
— dizer bom-dia aos papagaios

Eu não comeria macacos.

B4 — 7 Mais-que-perfeito composto

1. Escreva as respostas.

Exemplo:
Por que ela estava tão triste outro dia? (discutir com o namorado)

Porque ela tinha discutido com o namorado.

a) Por que você não quis ir ao cinema? (já — ver o filme)
b) Por que vocês não almoçaram conosco? (já — ter almoçado)
c) Por que eles estavam cansados? (vir a pé)

2. Observe a ilustração e escreva.

Exemplo: mandar a resposta/desistir

Quando ele mandou a resposta, eu já tinha desistido do casamento.

a)
ligar/
ir embora

c)
trazer/
fazer

b)
chegar/
começar

d)
querer
comprar/
acabar

B4 / B5 — 8 Mais-que-perfeito simples e composto

1. Leia o início do romance *Reunião de Família* de Lya Luft
Alice, personagem central, prepara-se para sair de viagem. Ela conversa com seu marido enquanto verifica se não esqueceu nada.

2. Marque os verbos que estão no mais-que-perfeito simples.

3. Substitua o mais-que-perfeito simples pelo mais-que-perfeito composto.

-**V**ocê acha que um dia a gente podia mandar colocar um espelho grande aqui na sala? — perguntei a meu marido antes de sair, remexendo na bolsa para conferir se pusera tudo ali, dinheiro, passagem de ônibus. Minhas mãos estavam frias.

— Espelho grande? Para quê? — Ele me encarou por cima dos óculos, baixou o jornal. Logo ia dormir a sesta, apenas esperava que eu saísse. Era tarde de sábado.

Parecia admirado; acho que nunca me vira ter idéias extravagantes, devia considerar aquilo uma extravagância.

— Nada — respondi, já arrependida. — Foi só bobagem minha, uma vez li que dá impressão de mais espaço. A sala é pequena...

— A sala é ótima assim. — Ele voltou a ler, ajeitou o jornal.

— Claro. Claro. Você tem razão...

Quando fui me aproximando da porta, ele se levantou, me beijou na face, pediu que me cuidasse direito. Descendo os degraus da frente, ouvi-o fechar a porta. Então lembrei que esquecera de colocar perfume; mas não valia a pena voltar só por causa disso.

Você conhece o significado dos seguintes provérbios? Há provérbios com significados similares em sua língua?

1. Relacione os provérbios com as ilustrações.

1 Filho de peixe peixinho é.
2 Roupa suja lava-se em casa.
3 Filho criado, trabalho dobrado.
4 Santo de casa não faz milagre.
5 Uma andorinha só não faz o verão.
6 Burro amarrado também pasta.
7 Em terra de cego, quem tem um olho é rei.
8 Filho de gato, gosta de rato.
9 Mais vale um pássaro na mão do que dois voando.
10 Entre marido e mulher, ninguém mete a colher.

Ilustração

2. Agora complete os diálogos na página 90 com os provérbios 1-10.

> 1 Filho de peixe peixinho é.
> 2 Roupa suja lava-se em casa
> 3 Filho criado, trabalho dobrado.
> 4 Santo de casa não faz milagre.
> 5 Uma andorinha só não faz o verão.
> 6 Burro amarrado também pasta.
> 7 Em terra de cego, quem tem um olho é rei.
> 8 Filho de gato, gosta de rato.
> 9 Mais vale um pássaro na mão do que dois voando.
> 10 Entre marido e mulher, ninguém mete a colher.

a) o Mas Zé, você é casado!

• E daí? _____

b) o Você quer aulas de inglês?! Mas seu marido não é americano?

• Sabe como é, _____

c) o Então Zulmira, agora que o Gérson se casou, você tem mais tempo para fazer o que gosta.

• Você é que pensa! _____

d) o Adilson brigou de novo com a mulher. Desta vez a coisa é séria. Acho que vou lá conversar com ele.
• Olha, toma cuidado! Você sabe, _____

e) o Puxa, como o Julinho canta bem! Até parece profissional.
• Com um pai cantor e uma mãe pianista, o que você quer?

_____

f) o Ô Zélia, como você foi contar para o Eduardo a nossa briga?

_____

g) • Eu não entendo como o Quico pode ser chefe do departamento.

o É... ele não é muito bom, mas _____

h) • Que bom que demitiram o diretor do hospital, esse corrupto, sem-vergonha! Agora as coisas vão melhorar.

o Espera aí, _____

i) • Não entendo por que você aceitou este emprego agora.

o Olha, na situação em que estou, _____

j) • Nossa, como a Marisa gosta de uma cervejinha!

o Você não conhece o pai dela? _____

1. Leia a carta.

Fortaleza, 29 de outubro.

Antônio,
Tudo bem? Soube ontem pela Gisela que você conseguiu aquele estágio que você tanto queria no Instituto Oceanográfico e vai passar um ano no Japão.
Meus parabéns!!
Fiquei muito feliz porque sei como isso é importante para você.
Espero vê-lo antes da viagem. Se não, te desejo muito sucesso por lá.

Um abraço

2. Seu amigo vai ser pai. Utilizando a carta acima como modelo, escreva-lhe cumprimentando-o: — dar os parabéns
— desejar felicidades
— desejar saúde

Mostre a carta para seu/sua professor/a.

C2

11 *Parabéns para você*

Pa ra béns pra vo cê nes ta da ta que ri da mui tas

fe li ci da des mui tos a nos de vi da.

É pique, é pique, é pique, pique, pique –
É hora, é hora, é hora, hora, hora –
Ra, tchi, bum, nome, nome, nome.

Luís Fernando Veríssimo
Nasceu em 1936, filho de Mafalda e Érico Veríssimo, também um famoso escritor. Em 1956 começa a trabalhar na Editora Globo. Entre 1962 e 1966 trabalha no Rio de Janeiro como tradutor, secretário redator de publicações comerciais... Em 1966 ele se muda para Porto Alegre. A partir de 1969 publica suas crônicas no "Zero Hora". Entre 1982 e 89 ele assina a página de humor da revista "Veja". Desde então ele tem uma página semanal em "O Estado de São Paulo". Luís Fernando Veríssimo é hoje um dos cronistas e escritores mais conhecidos do Brasil.

1. Leia o texto e dê um título para cada parte.

a) Dia de chuva 1
b) Dia de chuva 2
c) Dia de chuva 3
d) Dia de chuva 4
e) A saída

f) Roupa de praia
g) Conselho de pai
h) Na cama 1
i) Na cama 2
j) Na cama 3

l) No restaurante
m) Indo para a serra
n) Reclamação
o) Chegada no hotel
p) Reencontro
q) A decisão

1 A decisão

Praia! — gritou a filha.
— Serra! — gritou o filho.
— Quintal — sugeriu o pai, pensando na crise.
A mulher tinha um sonho: fazer um cruzeiro num transatlântico de luxo. Só uma vez na vida. Noites de luar no Caribe. Drinques coloridos à beira da piscina. Lugares exóticos com nomes românticos.
— Galápagos...
— Barbados...
— Falidos...
— Fal... Como, Falidos?
— É o que nós ficaríamos depois de uma viagem destas. Você sabe quanto custa?
— Você só pensa em dinheiro.
— Dinheiro, não. Cruzeiros.
— Praia, pai!
— Serra!
— Praia!
Chegaram a um acordo. Praia e serra. Uma semana de cada uma. O cruzeiro no Caribe aguardaria a improvável circunstância do papai morrer e a mamãe casar com o Chiquinho Scarpa. Tinham ouvido falar de um hotel novo numa praia ainda não desenvolvida. Preços promocionais. E a distância, se-

gundo o pai, que calculou as probabilidades de irem e voltarem de carro sem os combustíveis aumentarem no meio do caminho, era razoável. Para a praia, portanto. Uma semana!

2 A saída

— Está tudo no carro?
— Está, Vilson, entra.
— Pomada contra queimadura?
— Está.
— Repelente contra inseto?
— Está.
— Quinino? Tabletes de sal? Ataduras? Rádio, para mantermos contato com a civilização?
— Vamos já, pai!
— Antibióticos? Lança-chamas, contra um possível ataque de formigas gigantes?
— Está tudo no carro, Vilson. Deixa de bobagem e entra.
— Arrá. Não *está* tudo no carro.
Faltava a Agatha Christie. O pai voltou correndo para buscar a Agatha Christie. Cinco livros. Pelos seus cálculos, o manteriam longe do sol, da areia e da água fria por toda a semana.

3

— Você vai para a praia nua?
— Eu não estou nua, pai. Estou de biquíni.
— Vou ter que aceitar sua palavra...

4

— Garçom, sal.
— Ahn?
— Sal. Aquela coisa branca que parece açúcar.
— Ah.
— Não é possível. Ele não sabe o que é sal.
— Calma, Vilson. O hotel é novo. Ouvi dizer que eles estão aproveitando gente do local.
— Mas o sal já deve ter chegado aqui. Já tem antena parabólica, e sal refinado é bem mais antigo.
— Ele só não ouviu o que você disse, Vilson. Olha, aí vem ele.
— Ah!, aí está. Obrigado.
— Obrigado, moço.
— Eu sabia...
— O quê?
— Ele trouxe açúcar.

5

— Sabe que você, desse jeito, está muito, mas muito apetitosa?
— Ai!
— Que foi?
— Não me toca aí.
— Por quê?
— Queimadura. É por isso que eu vou dormir sem roupa.
— Eu não falei? Você devia fazer como eu. Eu nunca me queimo.
— Claro que não se queima. Passa o dia inteiro dentro do hotel, lendo a Agatha Christie.
— Quando o tal general me deixa. Ó velho chato. Só fala em doença. Sabe que eu já sei mais sobre a vesícula dele do que sobre a minha? E isso que eu convivo com a minha há anos. Vem cá, vem.
— Ai! Aí também não pode tocar. Aqui. Aqui pode.
— Aí não me interessa.

6

— Meu filho, eu quero que você pense numa coisa. Você sabe o que pode acontecer se você continuar indo tão longe no mar? Sabe?
— Sei, pai. Posso morrer afogado.
— Não é só isso, meu filho. Se você morrer afogado nós vamos ter que interromper o veraneio. E o hotel está pago até o fim da semana!

7

— Eu pedi peixe.
— O senhor pediu peixe.
— Exato. E isto não é peixe.
— É, sim senhor.
— Não, meu amigo. Isto é carne.
— É peixe.
— É carne.
— Pai...
— O quê?
— Pode ser peixe-boi.
— Vilson! Você levantou a mão pro menino!
— Desculpe. É que eu dormi mal esta noite. Os mosquitos. E sonhei com a vesícula do general. Desculpe, meu filho.
— O senhor quer trocar de prato?
— Não, não. Isto está ótimo. Bife com molho de camarão. A gente deve experimentar tudo na vida. Traga o sal, por favor.
— Ahn?
— Esquece.

8

— Veja que coisa fascinante é o ciclo da vida. Os mosquitos nos comem, as lagartixas comem os mosquitos, e tenho certeza que cedo ou tarde servirão essa lagartixa no restaurante do hotel. Sem sal. O ciclo se completa. A vida segue o seu curso. É bonito isso. Chega pra cá.
— Não. Eu ainda estou queimada.
— Então você, Agatha. Venha você. Assim. Oh, sim. Deixa eu abrir as suas páginas, deixa eu acariciar, lentamente, a sua lombada. Mmmm...
— Vilson...
— O quê?
— É você fazendo cócegas no meu pé?
— Eu não sonharia em tocar em você, querida.
— AKH! É a lagartixa!

9

— Sabe general, eu sempre achei que, se houver inferno, ele é um hotel de praia num dia de chuva.

— Como?

— O inferno. Deve ser um hotel de praia em dia de chuva.

— Isso é porque você não sofre da vesícula.

10 _____

— Eu ainda mato o general.

11 _____

— Herodes foi um grande injustiçado da história. Devia-se fazer uma campanha para reabilitá-lo. Limpar o seu nome.

— Vilson, tenha paciência. Com essa chuva as crianças têm que ficar dentro do hotel. Onde é que você vai?

— Me lembrei que estou aqui há cinco dias e ainda não fui à praia.

— Mas está chovendo!

— Certo. Se começar a parar eu volto correndo.

12 _____

— Bingo!

— Papai! Você completou o cartão!

— Grande, pai!

— Qualquer jogo que requeira capacidade intelectual é comigo mesmo. Desafio qualquer um neste hotel para um burro-em-pé até a morte.

13 _____

— Querido...

— Hum?

— Larga a Agatha.

— Você não está mais queimada?

— Estou, mas não me importo.

— Já vi tudo. É porque eu ganhei no bin-

go. Há algo num vencedor que atrai as mulheres. Um certo magnetismo ani...

— Vilson...

— O quê?

— Cala a boca.

14 _____

— Está tudo no carro?

— Está, Vilson. Entra.

— A prancha? As conchas? Tudo?

— Tudo, Vilson.

— A lagartixa?

— Vamos embora, pai!

15 _____

Ah, a serra! Vejam que beleza. Vocês acordarão cedo todas as manhãs e farão grandes caminhadas e depois me contarão como foi, se conseguirem me acordar. Encheremos os pulmões de ar puro e ainda levaremos um pouco para casa, dentro de isopores. Este hotel me parece bom.

— Por que você escolheu logo esse?

— Gostei do nome. "Falso Bávaro". Pelo menos parece honesto.

16 Reencontro

— Vamos passear no mato. Vamos passear no mato!

— Pensei que você fosse passar os dias no hotel, lendo.

— Vocês não vão acreditar.

— O quê?

— O general também está aqui! Vamos passear no mato.

2. Leia o texto de novo e resolva as tarefas abaixo.

Parte 1: A palavra "falidos" significa
a | uma ilha no Caribe.
b | sem dinheiro.
c | um navio de luxo.

Parte 2: Relacione as palavras com as imagens.

a) pomada de queimadura
b) repelente para insetos
c) quinino
d) tabletes de sal
e) lança-chamas
f) antibióticos
g) rádio
h) ataduras

Parte 5: O general, hóspede do hotel, é chato porque

a passa o dia inteiro no hotel.
b fala o tempo todo.
c só fala de doenças.

Parte 8: Marque o desenho que corresponde à cena e mostre a "lagartixa".

Parte 12: Vilson a ganhou no bingo.
b é um grande intelectual.
c está jogando burro-em-pé.

1. A ficha

Ouça a fita e complete a ficha.

Nome completo
Estela Maria Novais Silva
Pereira da Rocha Stachwiski
Nome do pai
Pedro
Nome da mãe
Sílvia
Nome do marido
Igor

2. Os apelidos

Ouça a fita e relacione.

Apelidos	Nomes
Dudu	José Carlos
Malu	Maria Teresa
Zeca/ Zé	Fátima
Guto	Eduardo
Fafá	Jussara, Jurema
Beto	Gustavo/ Augusto
Maitê	Roberto
Ju	Maria Lúcia
Cida	Maria Aparecida

Apelidos famosos	
Chico	Francisco Buarque de Holanda (músico)
Lula	Luiz Inácio da Silva (político)
Pelé	Edson Arantes do Nascimento (ex-jogador de futebol)

3. A autorização

1. Quem vai viajar?
- [a] O pai com seus três filhos.
- [b] O irmão com a irmã dele.
- [c] A tia com seus três sobrinhos.

2. Complete a autorização.

Autorização
Eu ___Clodoaldo B.Silveira___ na qualidade de ___Juiz de Menores da 3ª Comarca___
autorizo a Sra. _____ _____ a viajar com seus três
_____ , _____ ( ) , _____ ( ) , _____ ( ).

Complete o quadro com palavras da mesma família.

Verbo	Substantivo	
entrevistar	*a entrevista*	*o entrevistador*
imigrar	a imigração	o imigrante
casar	O casamento	←
divorciar	o divórcio	←
chegar	*a chegada*	←
aposentar	a aposentadoria	*o aposentado*
ler	*a leitura*	o leitor
empregar	*O emprego*	*O empregado*
estacionar	o estacionamento	←

1. Procure no dicionário os adjetivos formados em -ável ou -ível a partir dos seguintes verbos:

suportar	*suportável / insuportável*	discutir	*discutível / indiscutível*
comparar	*comparável / incomparável*	confundir	*confundível / inconfundível*
desejar	*desejável / indesejável*	definir	*definível / indefinível*
aceitar	*aceitável / inaceitável*	ler	*legível / ilegível*
calcular	*calculável / incalculável*	compreender	*compreensível / incompreensível*
imaginar	*imaginável / inimaginável*	poder	*possível / impossível*

2. Complete as frases com adjetivos da lista acima.

a) Parece que é muito rico, milionário. Sua fortuna é *incalculável* .

b) 32 graus! O calor hoje está *insuportável* .

c) Para ser gerente, uma experiência no setor é *desejável* .

d) Reconheci-o pela roupa. Seu estilo é *inconfundível* .

e) Ninguém pode ler isto! E *ilegível* .

f) Vamos continuar a greve. Essa proposta é *inaceitável* .

g) Ele está chateado, perdeu os documentos. É *compreensível* .

Lição 11

1 O que fazer?

Que atividades de férias você encontra neste quadro?

A2 **2 Talvez**

Organize o diálogo. Há várias possibilidades.

④ ③ ① ② ⑧ ⑥ ⑦

① Não sei, está muito quente.

② Ou tênis! Você por acaso gosta de tênis?

④ Talvez.

③ Por que talvez? Vamos lá, já temos 10 pessoas, só falta mais uma.

⑧ Mais ou menos, mas não tenho muita vontade de jogar agora.

⑥ Mas você não vai fazer nada?

⑤ Vamos jogar futebol?

⑦ Talvez, não sei ainda.

1. Escreva as frases que melhor se adaptam a cada ilustração.

— não sabe se / ir / de ônibus, avião ou carro
— talvez / ficar / na casa da Márcia
— / existir / hotel barato?
— pode ser que / ir / dia 20 para Aracaju

A *Pode ser que eu vá dia 20 para Aracaju.*
B *Não sei se vou de ônibus, avião, ou carro.*
C *Você sabe la existe um hotel barato?*
D *Talvez eu fique na casa da Maria.*

2. Agora escreva uma carta para Márcia, sua amiga em Aracaju.

> *Campinas 12/3*
>
> *Querida Márcia,*
> *Tudo bem com você? Estou te*
> *escrevendo porque pode ser que eu*

4 Presente do subjuntivo — Formas regulares

Escreva as respostas.

a) o Eu vou à praia amanhã.

• Boa idéia! Talvez *eu vá também*.

b) o Vou assistir 'E o Vento Levou' na TV hoje à noite.

• Que bom! Talvez eu e o Rodolfo *assistamos também*.

c) o O Marcelo está fazendo regime.

• Que chato! Mas é bem possível que a Ivete *esteja fazendo também*.

d) o Quero almoçar numa boa churrascaria amanhã.

• Talvez eu *almoce também*.

e) o Vamos à praia no fim-de-semana?

• (fazer sol) *Tomara que faça sol.*

f) o Hoje à noite vou começar a ler o livro que você me deu.

• (gostar) *Tomara que você goste.*

g) o Estou com uma gripe fortíssima.

• (melhorar logo) *Tomara que você melhore logo.*

h) o Patrícia está procurando emprego.

• (encontrar logo) *Tomara que ela encontre logo.*

5 Alguns usos do subjuntivo

1. Faça frases.

Talvez	Joel	telefone mais tarde.
	eu	melhore logo.
Duvido que	Paulinho	não venha à festa.
Sinto que	você	arrume o quarto ainda hoje.
Espero que	Natália e Zé	venham conosco.
Quero que	eles	aprendamos o subjuntivo.
Que bom que	nós	falem inglês bem.

Que bom que você finalmente use o subjuntivo.

2. Complete o texto.

❝Vou usar a calça preta. _Espero que_ a Aparecida goste. Para combinar, o brinco de metal grande. Hmm, _Talvez_ vá sem brinco. A Aparecida é muito conservadora. _Tomara_ que ela goste. Este aqui está ótimo! E a camiseta? Onde é que está a camiseta dos "Ratos do Porão"? _Espero que_ a mamãe tenha lavado. Está aqui. Graças a Deus! Tênis ou bota? Tênis tem mais cara de Aparecida. Mas _Talvez_ ela goste mais de homem com bota. Vou com botas. _Tomara que_ ela goste. E o cabelo? Fica assim, está ótimo. Dinheiro? Puxa vida, não tenho nada! Mas tudo bem, ela paga o cinema. O pai dela tem grana.❞

> O que será que eu vou vestir?

6 Presente do subjuntivo — Formas irregulares   B3

Escreva as respostas.

a) o Onde eles estão?
- (na cozinha) _Talvez estejam na cozinha._

b) o Quem sabe o endereço da Fabiana?
- (Carlos) _Talvez Carlos sabe._

c) o Quem dá informações aqui?
- (o rapaz de uniforme) _Talvez o rapaz de uniforme dê._

d) o Quem é o irmão do João?
- (o rapaz alto) _Talvez [seja] o rapaz alto —_

e) o Quem vai à aula amanhã?
- (eu) _Talvez eu vá._

f) o Onde está a Maíra?
- (no jardim) _Talvez esteja no jardim._

g) o Quem quer mais pizza?
- (Viviana) _Talvez Viviane queira_

h) o O que há para ver na Amazônia?
- (ainda/ florestas) _Talvez ainda haja florestas._

B1 B3 7 Presente do indicativo ou do subjuntivo

Complete o texto com as formas corretas dos verbos.

Já são 9 horas.

"Estou esperando Aparecida faz uma hora. Tomara que ela ___venha___ (vir) ainda, mas quase não acredito mais. Acho que ela esqueceu.

Também é possível que ela ___esteja___ (estar) doente. Não sei o que eu ___vou fazer___ (fazer). Talvez ___ligue___ (ligar) para a casa dela. Espero que ___tenha___ (ter) alguém lá. Será que o pai dela ___está___ (estar) lá? Na verdade, não acho que ___seja___ (ser) uma boa idéia telefonar. Acho que ___vou___ (ir) esperar mais 15 minutos. Que bom que não ___esteja___ (estar) chovendo. Lá vem alguém. Tomara que ___seja___ (ser) ela. Droga! Não é ela. Vou embora."

B4 8 Pronomes indefinidos

Complete e escreva a resposta.

a) o Vocês tem ___alguma___ pergunta? • _Não, nenhuma._

b) o Faltou ___alguém___ na aula de ontem? • _Não, ninguém._

c) o Eles trouxeram ___algum___ presente do Paraguai? • _Não, nenhum_

d) o Você tem ___alguma___ problema? • _Não, nenhuma._

e) o Você sabe ___algo___ sobre ele? • _Não, nada_

f) o Você conhece ___alguém___ nesta festa? • _não, ninguém_

g) o Eu deixei ___algo___ sobre a mesa? • _não, nada_

B4 B5 9 Pronomes indefinidos e dupla negação

Complete e escreva a resposta.

a) o Você tem ___algum___ mapa do Brasil? • _Não tenho nenhum._

b) o Você tem ___alguma___ revista brasileira? • _Não tenho nenhuma_

c) o Você conhece ___alguém___ no Brasil? • _Não conheço ninguém_

d) o Você sabe ___algo___ sobre a professora? • _Não sei nada_

e) o Você tem ___alguma___ foto dela? • _Não tenho nenhuma_

Você gosta da natureza?

Você é ecologista, amante da natureza ou predador? Olhe a ilustração e responda às perguntas.

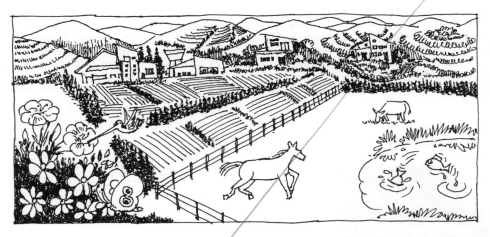

1 O que chama mais a atenção na ilustração?
A As montanhas
B As plantas
C Os animais
D As casas

2 Um lugar assim é para:
A O fim-de-semana
B Viver
C Achar inspiração
D Comer e dormir

3 O que mais incomoda na floresta é:
A A falta de conforto
B Os mosquitos
C Tudo
D O isolamento

4 Amar a natureza é:
A Preservar a si mesmo
B Demagogia
C Coisa de hippie
D Respeito social

5 A natureza é:
A Expressão de Deus
B Mãe de todos
C Perfeita
D Simples

6 O maior problema ecológico é:
A A poluição sonora
B A poluição visual
C O desmatamento
D A poluição da água e do ar

7 A vida no campo é:
A Monótona
B Tranqüila
C Chata
D Saudável

8 Para descansar você prefere:
A Viajar para São Paulo
B Ligar a televisão
C Ir para um hotel-fazenda
D Ir à praia

9 Olhando para a ilustração você sente:
A Preguiça
B Entusiasmo
C Volúpia
D Depressão

10 O que mais acalma na natureza é:
A O azul dos oceanos
B O canto dos pássaros
C Os diferentes tons de verde
D O ar puro

Agora conte seus pontos.

	1	2	3	4	5	6	7	8	9	10
A	4	2	3	4	2	2	2	2	2	4
B	3	4	4	2	3	1	3	1	3	2
C	2	3	1	1	1	4	1	4	4	3
D	1	1	2	3	4	3	4	3	1	1

Leia seus resultados na página 104.

De 10 a 20 pontos

Predador

Você precisa ampliar sua consciência e respeitar mais a natureza. Temos que fazer isso para as próximas gerações. Lute contra a poluição e em favor das florestas. Quem sabe assim poderemos ouvir no futuro o canto dos pássaros.

De 21 a 30 pontos

Amante da natureza

Você ama tanto a natureza que nem percebe que o homem é seu maior inimigo. Nem todos aprenderam a respeitá-la, por isso você tem que lutar para que as próximas gerações ainda possam ter alguma coisa.

De 31 a 40 pontos

Ecologista

Você sabe que a ecologia não é só a defesa dos animais, mas um problema para nós e para o futuro. Por isso continue pensando assim. A natureza afeta as nossas vidas diretamente. Ensine outras pessoas a respeitá-la.

D1 11

1. Leia o texto na página 105 e decida qual dos adesivos abaixo melhor representa o tema.

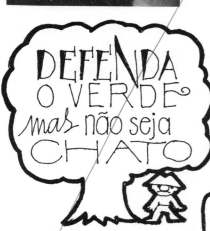

1 Depois que sumiram todas as razões para o extremismo político, só faltava essa: surgir o xiita ecológico. Esse novo personagem apareceu numa versão soft há alguns anos, mas modelos mais recentes manifestam-se de modo dogmático. Passam graxa de carro em casacos de pele em Nova York ou deitam-se no asfalto no meio da rodovia, como em Angra dos Reis na semana passada, para protestar contra a energia atômica. Para esses novos cruzados da fé no verde, os problemas ambientais parecem sempre maiores do que realmente são e a solução estaria na regressão das pessoas a um estágio primitivo, para que deixem de molestar a natureza. Essa crendice é forte, mas começa a ser desfeita. As pesquisas vêm mostrando que o planeta é mais resistente do que imaginam as seitas verdes e nada indica que o desmatamento de uma área na Tanzânia provoque reações adversas em Bangladesh, como supõem muitos militantes da religião ecológica.

2 Seis meses depois do fim da guerra do Golfo, os técnicos conseguiram apagar o incêndio nos poços de petróleo do Kuwait que deveriam arder durante anos, segundo a previsão dos ecoxiitas. Também contrariando todas as projeções sinistras, espécies ameaçadas de extinção na África, como o rinoceronte negro e os elefantes, estão mais firmes que nunca. Seus rebanhos aumentam e no caso do elefante surgiu um problema inverso, o da superpopulação. Está saindo elefante pelo ladrão na África do Sul e no Zimbábue. E, para suprema decepção dos militantes das seitas ecológicas fundamentalistas, até da Amazônia podem surgir boas notícias. Na semana passada, o Ibama, o órgão federal que policia a natureza no Brasil, anunciou que o ritmo de desmatamento na região vai, pelo quinto ano consecutivo, despencar em 1991. É demais.

3 Nascida pelo desejo sincero de salvar o planeta da destruição, essa atitude mental volta-se radicalmente contra o desenvolvimento, o progresso, a indústria, sem examinar as bases racionais desse comportamento.

O Brasil reage

O ritmo de desmatamento na região amazônica brasileira vem caindo desde 1983 quando atingiu o seu auge com o pico da colonização nos Estados do norte do país (em milhões de hectares)

| 1983 | 1987 | 1988 | 1989 | 1990 | 1991* |
| 8 | 6 | 2,5 | 2,1 | 1,4 | 0,9 |

*estimativa   Fonte: Inpe/Banco Mundial

REVISTA VEJA 9/10/91 (EXCERTOS)

2. Escolha o melhor título para cada um dos três parágrafos.

Religião e ecologia   Problemas sem solução

Ecoxiitas: os novos extremistas

Não é tão ruim quanto parecia   Irracionalismo

3. Relacione.

No Kuwait   há elefantes demais.
Na Amazônia   os incêndios dos poços de petróleo acabaram logo.
Na África   o desmatamento está diminuindo.

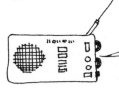

1. Ouça a fita. Qual dos títulos abaixo melhor se adapta ao texto?

O transporte na cidade   A cidade é você

Serviços públicos na cidade

2. Ouça a fita novamente. Quais dos assuntos abaixo são mencionados no programa de rádio?

a) A limpeza nas ruas
b) O trânsito
c) A poluição do ar

d) Lojas que funcionam 24 horas por dia
e) A poluição sonora
f) O sistema de transporte

3. No desenho acima, indique as pessoas que não estão seguindo as sugestões do programa de rádio.

p. 99

② Querida Marcia,

Tudo bem com você? Estou te escrevendo porque pode ser que eu va dia 20 para Aracaju. Não sei se vou de ônibus, avião, ou carro. Talvez eu fique na casa da Maria. Você sabe se lá existe um hotel barato?

p. 100

B2) ~~Talvez~~ Talvez nos ~~Joel e eu~~ aprendamos o subjunctivo _

③ Duvido que Paulinho telefone mais tarde.
④ Sinto que você não venha à festa.
② Espero que Natália e Zé falam inglês bem.
⑤ Quero que eles venham conosco.
⑥ Que bom que nos Joel arrume o quarto ainda hoje.

p. 107

andoinha: ecologia, preto, lixo, feminino, elegante, relaxar
gato: amar, alegre, rápido, casa, elegante, noite, prazer, leite, sensual
cachorro: amigo, brincar, casa, agradável, simpático
porco: restaurante, feio, rosa, fazenda, carne
burro: amigo, feio, campo, bobo, transporte, rural
cavalo: transporte, esporte, filme, rural

borboleta

andorinha

gato

cachorro

porco

burro

cavalo

Quais são as suas associações? Relacione as palavras abaixo aos animais das ilustrações.

Exemplo: *bonito, elegante, tímido, bosque, prazer, verão, paciência, silêncio, simpático, agradável ...*

preto   marrom   amarelo   magro

bonito   pequeno   grande   elegante

pesado   ativo   alegre

preguiçoso   sensual   tímido

inteligente   simpático   antipático   amar

agradável   rápido   feminino   masculino

vegetariano   correr   feio   trabalhar

relaxar   amigo   comer

prazer   barulho   verão   brincar   silêncio

cheiro   parque   couro   bosque   montanha

fazenda   lixo   lazer   leite   jardim

férias   fim-de-semana   quadro   praia

cozinha   casa   branco   campo   cidade

filme   jogos   quarto

churrasco   hambúrger   filhos   restaurante   manhã

ecologia   charme   feijoada   relógio

bife   carne   esporte   verde   noite

Natal   bolsa   baixo   cedo   rural

zoológico   transporte   tarde   amor   gordura

Lição 12

1 Uma região brasileira

Decifre a 'carta enigmática' e escreva o texto.

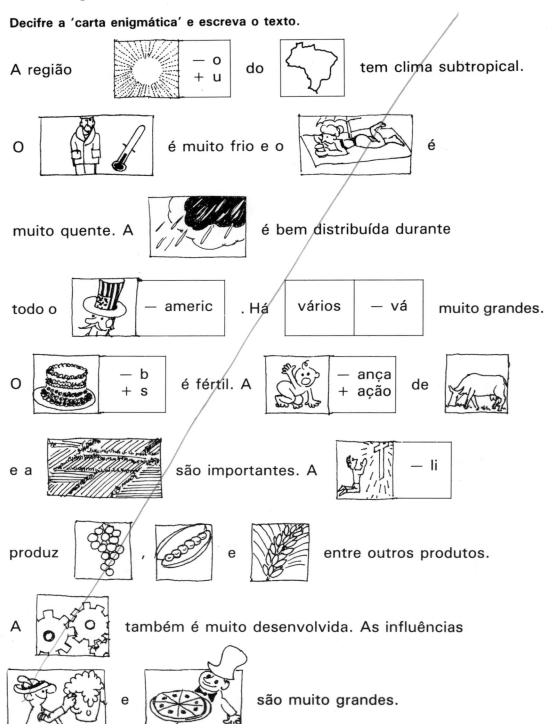

A região [☀ — o + u] do [mapa do Brasil] tem clima subtropical.

O [termômetro] é muito frio e o [pessoa deitada] é muito quente. A [chuva] é bem distribuída durante todo o [— americ] . Há [vários] [— vá] muito grandes.

O [bolo — b + s] é fértil. A [— ança + ação] de [boi] e a [plantação] são importantes. A [— li] produz [uvas] , [ervilhas] e [trigo] entre outros produtos.

A [engrenagens] também é muito desenvolvida. As influências [pessoas] e [pizza] são muito grandes.

Complete

Há muitos modos de exprimir opiniões e sentimentos.

+ 🙂	– ☹
Adoro ... Gosto muito de ... Acho bom ... Acho simpático ... É ótimo ...	Odeio ... Detesto ... Não suporto ... Não agüento ... Acho chato ... Acho antipático ... É horrível ... É chato...

Complete as frases abaixo com os elementos adequados da caixa acima.

a) Eu _detesto_ meu vizinho. Ele é um carioca muito antipático.

b) Lá em casa a gente _adora_ chimarrão. A gente toma chimarrão todo dia.

c) Churrasco de gaúcho é ótimo. Eu _gosto muito_!

d) São Paulo é uma cidade grande demais. _detesto_ morar lá!

e) Em Belo Horizonte não tem praia. A gente não tem o que fazer no domingo.
é chato morar lá.

f) Em Brasília tudo é novo, muito moderno. Eu _adoro_ Brasília.

g) Eu _Odeio_ o calor. Por isso não poderia nunca morar em Manaus.

h) Muita gente não gosta de Recife mas eu _acho simpático_! Não tem outra cidade igual para mim.

4 Advérbios — Formas em -mente

Escreva o advérbio.

calmo	*calmamente*	livre	*livremente*
duro	*duramente*	longo	*longamente*
doce	*docemente*	natural	*naturalmente*
especial	*especialmente*	nervoso	*nervosamente*
fácil	*facilmente*	perfeito	*perfeitamente*
fraco	*fracamente*	pessoal	*pessoalmente*
frio	*friamente*	pobre	*pobremente*
leve	*levemente*	rápido	*rápidamente*

5 Advérbios em -mente

② Eu resolvo meus problemas facilmente.
③ Ela explica a situação claramente.
④ Eles falam em inglês perfeitamente.

1. Faça frases.

~~Eu~~	~~escrever~~	meus problemas	~~freqüente~~	-mente
Vocês	resolver	a situação	claro	
Ela	explicar	em inglês	fácil	
Eles	falar	~~para nós~~	perfeito	

Exemplo: ① *Ela escreve para nós freqüentemente.*

2. Complete a frase com a forma do adjetivo ou do advérbio.

a) calmo/ nervoso

Ele nunca está *nervoso*. Ele sempre fala comigo *calmamente*.

b) especial

Ele recebeu atenção *especial*. O programa foi feito *especialmente* para ele.

c) duro/pobre

Eles são muito *pobres* e o trabalho deles é muito *duro*. Eles vivem *pobremente*.

d) emocional/ racional

Ela é uma pessoa muito *racional*. Ela nunca reage *emocionalmente*.

Complete as frases com os advérbios à direita.

Exemplo: Um bom professor ensina _bem_ .

a) Um bom cozinheiro cozinha _bem_ .

b) Um mau cantor canta muito _mal_ .

c) Ele não ouve bem, por isso falo _alto_ .

d) Estou com pressa. Fale mais _depressa_ .

e) Ele vive mal porque ganha muito _mal_ .

f) Pss! A criança está dormindo. Fale _baixo_ .

g) Estou cansado. Hoje trabalhei _muito_ .

h) Não entendi. Por favor fale mais _devagar_ .

demais
pouco
muito
baixo
alto
depressa
devagar
bem
mal

7. Pronomes indefinidos: todo o/ toda a, todos os/ todas as   B2

1. Escreva uma frase.

O fogo destruiu	todo o toda a todos os todas as tudo	casas ① produção do ano ② mercado ③ edifícios ④ escolas ⑤ ! ⑥

O fogo destruiu ① _todas as casas_ , ② _toda a produção_ ,
③ _todo o mercado_ , ④ _todos os edifícios_ ⑤ _todas as escolas_ ⑥ _tudo_ !

2. Escolha entre os elementos à direita os que podem substituir as partes sublinhadas das frases. Reescreva as frases.

a) Ele lê qualquer jornal que ele encontra.

b) Ele lê o jornal do começo ao fim.

c) Ela fica em casa 24 horas por dia.

d) Ela sempre fica em casa.

e) Ele vem aqui pelo menos uma vez por semana.

f) Ele vem aqui de segunda-feira a domingo.

① a semana toda
② o dia todo
③ o jornal todo
④ toda semana
⑤ todo dia
⑥ todo jornal

a) 6	b) 3	c) 2	d) 5	e) 4	f) 1

8 Pronomes indefinidos: cada — todos os/ todas as

Complete os textos e resolva os problemas.

A

Um músico tem 3225 CDs e 5 amigas. _Todas as_ suas amigas receberão o mesmo número de CDs. Como ele deve distribuí-los?

Resposta:

Ele deve dar _645_ CDs para _cada_ amiga.

B

O filho de um intelectual tem uma biblioteca com 6125 livros. Ele quer dividir sua biblioteca entre 7 escolas do seu bairro. _todas as_ escolas receberão a mesma quantidade de livros. Como será feita a divisão?

Resposta:

Cada escola receberá _875_ livros.

C

Uma companhia de exportação e importação de frutas tropicais está procurando um gerente de vendas. Há 9 candidatos para o emprego. O chefe de departamento entrevistará _todos os_ candidatos. Ele tem 6 horas para isto. Como deve dividir seu tempo?

Resposta:

Ele deve conversar _40_ minutos com _cada_ candidato.

9 Voz passiva

1. Leia o texto na página 113 e sublinhe as formas na voz passiva.
2. Reescreva as frases que têm formas na voz passiva, substituindo-as pela voz ativa.

① _____
② _____
③ _____
④ _____
⑤ _____
⑥ _____
⑦ _____
⑧ _____

O povo brasileiro

A população brasileira é forma-
da por três raças — índios, negros
africanos e europeus.

Quando os portugueses chegaram ao Brasil em 1500, a enorme
área, que é hoje o país, era habita-
da por cerca de um milhão de índios. A partir da segunda metade do
século XVI, negros africanos foram
trazidos para o Brasil pelos colonizadores para trabalhar na produção
de açúcar. Até o século XIX pelo
menos 3,5 milhões de negros (pro-
vavelmente muito mais) foram
transportados da África para o Brasil pelos comerciantes de escravos.
A partir da segunda metade do século XIX, grande número de imigrantes, mais de 5 milhões, vindos
da Itália, de Portugal, da Espanha,
da Alemanha e dos outros países da
Europa Central e do Oriente Médio,
foram recebidos pelo país. Os japoneses, um povo que não era conhecido pelos brasileiros até então, co-
meçaram a chegar em grandes on-
das a partir de 1908.

A população brasileira atual é,
portanto, resultado do encontro de
muitos povos. A importância de cada raça, no entanto, varia de região
para região. Os brancos predomi-
nam nos estados do sul, onde foi re-
cebido o maior número de imigrantes europeus. O elemento índio tem
grande importância na bacia do
Amazonas — onde se concentram
os 'caboclos', descendentes de índios e portugueses. Os negros e mulatos são encontrados em maior número nos estados do Nordeste e do
centro, onde era maior a população
escrava.

Os santos de cada um

*Segundo o candomblé, todas
as pessoas reproduzem o temperamento
de algum orixá do seu panteão*

1. Leia as perguntas e depois o texto.

Os adeptos ao candomblé acreditam que

☐ toda pessoa tem um orixá.

☐ o comportamento de uma pessoa é semelhante ao do seu orixá.

☐ durante a vida a pessoa pode mudar de orixá.

☐ a pessoa recebe do seu orixá as características que marcam sua personalidade, por isso é seu "filho".

Da mesma forma que os católicos julgam ter um anjo da guarda particular, os adeptos do candomblé acreditam que cada pessoa possui seu orixá, ou "santo", e com ele se identifica. O orixá funcionaria como um arquétipo, um padrão de comportamento do qual não se pode fugir. A certeza sobre quem é de que santo só vem com o jogo de búzios, mas o caráter de cada orixá fornece uma boa pista. Os mais conhecidos:

OXÓSSI

É o orixá caçador. Na Bahia, foi sincretizado com São Jorge e, no Rio de janeiro, com São Sebastião. Seus filhos herdam dele a independência e a esperteza. Estão sempre descobrindo algo novo. Sua característica é o movimento. Caetano Veloso é de Oxóssi.

OXUM

Divindade dos rios. Foi sincretizada com Nossa Senhora das Candeias. Vaidosa, anda sempre com um espelho para se olhar. As mulheres de Oxum apreciam jóias, roupas caras, são elegantes e graciosas. Mãe Menininha, que sempre usava brincos e pulseiras, foi uma de suas filhas. Martha Rocha é outra.

Oxum

Oxóssi

OGUM

É guerreiro e também a divindade do ferro. Sincretizado com Santo Antônio de Pádua, na Bahia, e com São Jorge, no Rio de Janeiro. Bravo, impaciente, impulsivo e muito persistente. Os filhos de Ogum só muito raramente desistem de seus objetivos.

OXALÁ

Foi o primeiro orixá a ser criado pela divindade suprema, Olodumaré. Sincretizado com o Senhor do Bonfim. São de Oxalá as pessoas tranqüilas, reservadas e que inspiram confiança.

EXU

Uma de suas funções no candomblé é servir de mensageiro entre os homens e os outros orixás. Foi sincretizado com o Diabo, porque é manhoso e especialista em provocar brigas e problemas onde quer que apareça. Mas tem seu lado bom. Tratado com jeito, pode ser de grande ajuda. Assim são as pessoas de Exu.

Ogum

XANGÔ

Deus do raio e dos trovões, sincretizado com São Jerônimo. Viril e conquistador, ele roubou a sensual orixá Iansã de seu marido Ogum. Seus filhos são voluntariosos e altivos. E, naturalmente, se encantam facilmente pelo sexo oposto. Jorge Amado, que criou Gabriela, Dona Flor e Tereza Batista, é de Xangô. Gabriela, se jogasse búzios, poderia descobrir-se uma filha de Iansã.

Exu

OMOLU

Divindade das doenças contagiosas, é também conhecido como Obaluaê e sincretizado com São Lázaro. Têm como santo Omolu as pessoas que parecem estar sempre sofrendo. Se não há motivo para tristeza, os filhos de Omolu arranjam algum.

IANSÃ

Orixá dos ventos. Foi sincretizada com Santa Bárbara. As mulheres de Iansã são autoritárias e voluptuosas. Apesar de muito ciumentas, sentem-se atraídas por romances extraconjugais.

IEMANJÁ

A deusa do mar. Mãe de várias divindades, como Xangô, Ogum e Oxóssi. Sincretizada com Nossa Senhora da Conceição. As mulheres de Iemanjá são protetoras, sérias e possuem um forte sentido de hierarquia. Costumam ser muito respeitadas.

---

2. Relacione as características aos orixás.

① força
② inteligência
③ beleza
④ conflito
⑤ conquistas amorosas

⑥ sensualidade
⑦ criatividade
⑧ tranqüilidade
⑨ melancolia
⑩ respeito

Oxóssi	
Oxum	
Ogum	
Exu	
Xangô	
Oxalá	
Omolu	
Iansã	
Iemanjá	

3. Você também tem seu Orixá. Identifique-o. Em algumas linhas, explique por que você se sente "filho/a" dele.

1. Observe os desenhos na página 117 e depois leia a lenda. As ilustrações vão ajudá-lo. Numere os desenhos na ordem do texto.

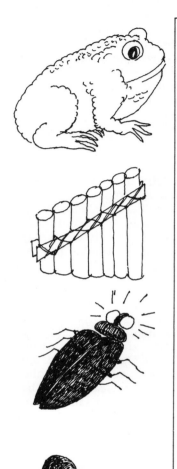

Arutsãm — o sapo esperto

O sapo Arutsãm foi até a casa da onça para pedir-lhe uma gaita de bambu. Os outros animais avisaram Arutsãm do perigo que estava correndo. Mas ele não lhes deu atenção e continuou seu caminho.

A onça foi gentil ao recebê-lo e convidou o sapo para um banho no lago. O sapo aceitou o convite, mas percebeu que, no caminho para o lago, a onça andava sempre atrás dele. Desconfiado, ficou atento.

À noite, a onça esperou o sapo adormecer para devorá-lo, mas Arutsãm colocou sobre seus olhos os olhos de um vagalume e assim enganou a onça.

No dia seguinte, já com a gaita, o sapo despediu-se da onça. Esperto que era, espalhou formigas no caminho. As formigas atacavam a onça, e a onça, para se livrar delas, batia as patas no chão. Assim o sapo sabia exatamente onde a onça estava e podia continuar seu caminho, muito feliz da vida.

O sapo passou então pelo território das cobras. A onça tinha pedido a elas para matar o sapo. As cobras o perseguiram. Neste momento, o sapo deu um grande salto e pulou para a lua. Lá em cima, bem contente, até hoje, está tocando sua gaita. Em noites claras, a onça fica olhando para a lua, lamentando o fracasso do seu plano.

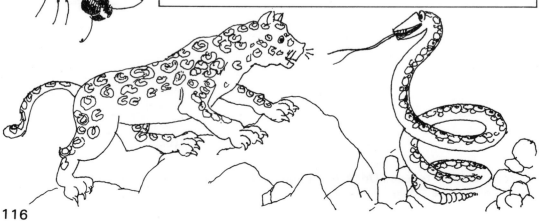

2. Leia primeiro as duas colunas abaixo, depois mais uma vez a lenda. Reproduza a lenda, relacionando a primeira coluna com a segunda e colocando as frases na ordem certa.

O sapo pediu à onça	para nadar.
A onça convidou o sapo	o sapo fingiu que estava acordado.
O sapo ficou desconfiado	enquanto a onça fica na terra olhando para a lua.
Para não ser comido pela onça,	o sapo fugiu para a lua.
Para escapar das cobras	porque a onça nunca andava na frente dele.
O sapo toca sua gaita na lua	uma gaita.

12 Dizem por aí...

1. Leia mais uma vez os estereótipos sobre alguns tipos brasileiros na página 122 do livro-texto.

2. Ouça a fita.

A entrevista é com ▢ um paulista
▢ um gaúcho
▢ um mineiro
▢ um carioca

3. Ouça a fita de novo.

Quais estereótipos sobre a região do entrevistado são mencionados na entrevista?

O _____

▢ é machão.
▢ só trabalha.
▢ não gosta de mulheres.
▢ fala pouco.
▢ é boa-vida.
▢ odeia trabalhar.

▢ é pão-duro.
▢ é mão-de-vaca.
▢ só quer ganhar dinheiro.
▢ não diz a verdade.
▢ não diz o que pensa.
▢ não suporta o calor.

4. O entrevistado

▢ concorda basicamente com as afirmações da entrevistadora.
▢ não concorda.
▢ ele não gosta das pessoas de sua região e critica a atitude delas.
▢ ele gosta das pessoas de sua região e explica a atitude delas.

5. Forme frases que reproduzam as idéias da entrevista.

O _____	é pão-duro,	porque gosta de luxo.
	é fechado,	porque precisa do dinheiro para ter segurança.
	desconfia	com pessoas que ele não conhece.
	é machão	porque adora o trabalho.
	é trabalhador	com as pessoas que ele conhece bem.
	é aberto	por causa do meio ambiente em que ele vive (as montanhas).
	é sincero	com os amigos.
	é caloroso	de estranhos.

O... é sincero com os amigos.

R	E	G	I	A	O	R	T	I	G	E	C	U	P	A	I	S	O	N	E	E	N	A	S	W	C	M	V
I	B	K	D	E	S	M	U	E	L	M	R	T	R	B	H	O	L	A	X	I	D	W	U	O	H	E	O
O	A	S	U	R	S	L	A	P	I	S	I	C	O	R	T	I	N	A	E	N	Z	A	B	W	T	R	C
A	U	A	N	S	P	O	L	T	R	O	N	A	F	E	I	L	D	L	R	H	U	U	T	D	M	E	A
T	A	P	E	T	E	U	Z	L	U	M	S	V	E	S	T	I	D	O	C	U	S	H	R	A	O	S	B
U	M	S	G	M	O	S	U	V	E	A	T	Z	S	R	H	T	M	D	I	M	M	S	O	L	O	T	U
F	C	O	M	P	R	A	R	I	K	T	P	E	S	O	F	A	C	H	C	F	A	I	P	U	C	I	L
E	U	S	E	A	D	E	M	E	M	A	R	B	O	G	A	B	D	B	I	E	P	E	I	E	H	E	A
I	E	D	R	N	E	N	G	R	A	O	E	E	R	W	R	T	O	L	O	J	A	R	C	B	K	R	R
N	C	A	V	N	N	K	E	A	L	K	C	H	E	Q	U	E	A	U	S	N	G	Y	A	E	E	E	I
C	A	D	E	R	N	O	B	L	H	I	O	R	L	E	A	R	T	S	D	S	A	A	L	I	V	R	O
A	E	K	S	D	A	V	U	L	A	S	I	L	E	I	Y	N	E	A	A	T	R	R	R	U	I	L	O
R	I	A	T	E	A	C	A	A	X	E	S	P	E	L	H	O	I	U	G	E	C	M	A	E	N	R	A
T	N	M	I	R	B	K	R	R	U	C	H	U	V	A	W	A	N	M	U	R	H	A	L	B	E	I	N
A	K	E	R	S	A	U	M	E	S	A	A	E	R	L	A	R	V	E	N	D	E	R	L	E	N	B	E
O	U	A	J	C	J	C	T	O	A	K	N	I	I	U	S	A	H	I	C	R	T	I	O	N	S	E	L
E	C	I	A	H	U	T	S	M	L	O	L	N	S	N	T	T	S	A	P	A	T	O	A	M	O	S	T
M	U	N	E	O	R	O	D	I	N	H	E	I	R	O	U	O	A	K	T	A	W	U	L	A	M	A	T

Procure no quadro acima na vertical e na horizontal:

A 8 palavras relacionadas a geografia/ clima.
B 8 palavras relacionadas a escola.
C 8 palavras relacionadas a móveis.
D 8 palavras relacionadas a comércio.
E 8 palavras relacionadas a roupa.

Complete as palavras que encontrou com os sinais gráficos ´ ^ ` ˘ e cedilha (ç).

Exemplo: PRECO = preço, SOFA = sofá

A	B	C	D	E
		sofá	preço	

Revisão

R1 JOGO DO TREM

Lição 7 Lição 8 Lição 9 Lição 10

Você se lembra das regras do JOGO DO TREM? (Página 51 do livro de exercícios).

1. (comprar) Eu comprei.
   (ler) Eu _____ .
2. O marido da minha irmã é meu
   _____ .
3. O pai de meu pai é meu
   _____ .
4. Avance até o n.º 10.
5. bom, ruim, fácil _____ .
6. Volte para o n.º 3.

7. Um livro grande é um livrão. Uma
   mesa grande é uma _____ .
8. Dê o nome de 4 cidades brasileiras.
9. A filha dà minha mãe é minha
   _____ .
10. Sábado tem churrasco. O que você vai
    vestir?
11. Volte para o n.º 7.
12. Gordo ⟷ _____ .
13. Para andar, uso os pés. Para comer,
    _____
14. O jornaleiro vende _____ .
15. O leiteiro vende _____ .
16. O que você fez ontem? (4 ações) Eu...
17. casa → casinha, loja → _____ .

18. Volte para o n.º 12.
19. Avance para o n.º 25.
20. Dê o nome de 3 doenças
21. 8 partes do corpo
22. o Estou me sentindo péssimo.
    • Coitado! Espero que _____ .
23. Diga o nome de 4 peças que homens
    e mulheres podem vestir.
24. Antigamente _____ melhor.

25. Antigamente nós _____ numa
    casa.
26. Antigamente eles _____ mais
    dinheiro.
27. o Qual é a _____ dele?
    • Ele é engenheiro.
28. Trabalho só das 8 às 12, em _____ .
29. Volte para o n.º 18.
30. Avance para o n.º 35.
31. Ganho pouco dinheiro. Meu _____
    não é bom.
32. Os operários estão em _____ ,
    eles querem ganhar mais.
33. Quantos dias por ano você trabalha?
34. Eu moro no (19º) _____ andar.

Lição 11 Lição 12

35. _____ com _____ dá verde.
36. Não tenho dinheiro. Vou pagar com
_____ .
37. Você já _____ as roupas
na mala?
38. Eu vim, mas elas não _____ .
39. Vamos trocar: Você _____ para
cá e eu _____ para aí.
40. Avance até o n.º 43.

48. Eu _____ bom-dia! Você não
ouviu?!
49. Hoje é meu _____ . Faço 34 anos.
50. Volte para o n.º 43.
51. Avance para o n.º 53.
52. Tomara que Jairo _____ logo.
Já são 8 horas.
53. Nas férias talvez eu _____
para o Nordeste.

41. Está frio. O que você vai vestir?
(4 peças)
42. Ele tem o rosto _____ como uma
bola.
43. Volte até o n.º 33.
44. Sou carioca porque _____ no Rio.
45. Você vem à festa? Pode _____
vinho?
46. Dê o nome de 5 estados do Brasil.
47. Encontrei a Malu. Por ela _____
que Patrícia se casou.

54. O Jairo não veio. Pode ser que ele
_____ doente.
55. São Paulo fica no Sudeste. Manaus no
_____ .
56. Os gaúchos moram no _____ .
57. Ele fala bem português, mas fala
_____ francês.
58. _____ dia levanto cedo.
59 _____ dos alunos receberá um
presente.

121

Descreva as pessoas

Como elas são? Quem está usando o quê?

Ignácio Tinhão	Cecília Ramos	Ignácio Tinhão Filho	Karen Meireles
Corpo	Corpo	Corpo	Corpo
Roupa	Roupa	Roupa	Roupa
Temperamento	Temperamento	Temperamento	Temperamento

Separe as palavras de acordo com sua área. Às vezes há várias possibilidades.

1 Alimentação

2 Clima

3 Corpo/Saúde

4 Economia

5 Família

6 Férias/Lazer

7 Geografia

8 Moradia

9 Móveis

10 Profissão

11 Trabalho

12 Roupas

A
a agricultura
o algodão
o aluguel
o abajur
a aposentadoria
o arco-íris
o azeite

B
a bagagem
o banqueiro
o barco
a barriga
a bebida

C
a cadeira
o calor
o carteiro
o chimarrão
a chuva
o condomínio
a cortina
as costas
o cunhado

D
o dinheiro
o divórcio
a demissão
a doença
o doce

E
o emprego
o enfarte
o espelho
o espinafre
a esposa
o estômago
a excursão

F
a farinha
a faxineira
o fazendeiro
a febre
a fibra
a floresta
o frio

G
o gado
a geladeira
o genro
a greve
o guaraná

H
a higiene
o horário

o hospital
o hoteleiro

I
a ilha
a indústria
o ingrediente
o inquilino
o inverno

J
a janela
o jardim
o joelho
a jornada
o jornaleiro

L
a lã
os lábios
os legumes
o linho
o living
a loja

M
a mala
a malha
a manteiga
a mão-de-obra
o mapa
a mata
a mudança

N
o namorado
o nariz
o negócio
a nora
o Noroeste

O
a orelha
o operário
o óleo
o outono
o ovo

P
o palmito
o parente
o passeio
o patrão
o petróleo
a pecuária
a planta
o plantão
a poltrona
a pousada
a primavera

Q
o queijo

o queixo
o quiabo
o quilo
o quintal

R
o regime
o refrigerante
o remédio
o resfriado
a reunião
o rio
o roupeiro

S
o salário
o saquinho
o sapateiro
a seca
a sede
a selva
o sogro
o solo

T
o tablete
o tamanho
a tensão
o térreo
o tio
a tosse
o trigo
o turismo

U
a usina
a uva

V
a vagem
o vatapá
o verão
o vento
o verdureiro
o vestido
a viagem
a visita
o viúvo

W
o WC
o windsurf

X
o xadrez

Z
o zelador
a zona
o zoológico

Encontre o estranho

compre   vá   lê   veja   escreva

acho que   tomara que   espero que   pode ser que

ótimo   péssimo   ruim   agradabilíssimo   facílimo

São Paulo   Rio de Janeiro   Belo Horizonte   Santos

lã   algodão   seda   linho   couro

listrado   azul   liso   xadrez   estampado

R5   **Tudo de bom!**

Encontre o nosso texto de despedida.

S	X	T	,	O	S	A	U	T	O	R	E	S	,
E	W	O	S	L	S	O	M	A	J	E	S	E	D
U	A	B	O	X	T	S	V	O	W	N	U	E	A
C	L	U	N	Z	U	C	E	C	U	I	R	L	P
U	L	R	.	V	D	V	U	Ê	D	T	K	I	R
R	E	A	M	I	O	V	Q	C	O	N	Y	M	E
S	R	O	I	M	D	Z	S	O	M	A	R	U	N
O	F	Z	F	Z	E	Y	X	W	V	L	E	S	D
B	W	K	O	A	B	O	M	E	E	S	P	T	E
A	S	I	Y	U	K	I	L	T	U	M	E	K	N
Y	Z	C	V	O	C	C	A	R	O	G	A	L	D
W	X	O	L	G	E	H	T	R	I	F	X	I	O
P	E	D	K	B	Z	K	O	O	B	R	A	S	.
O	R	T	U	G	U	Ê	S	D	O	R	A	F	I

Tchau

Seu curso básico de português

Exercícios de Audição

Lição 1

D2 Jornal da tarde

○ 13 horas na rádio Pirata. E agora nossa entrevista do dia. Hoje estamos falando com o doutor John Clark da empresa Safári Ecológico Mundial. Doutor Clark...
● Pode me chamar de John.
○ John. Você pode responder algumas perguntas para nossos ouvintes?
● Claro.
○ Você é americano?
● Não, não. Sou inglês.
○ Você mora onde na Inglaterra?
● Olha, para dizer a verdade, eu nunca morei na Inglaterra. Nasci e fui criado no Brasil. Fiz faculdade nos Estados Unidos e agora moro no Kênia, na África.
○ O que você é?
● Sou professor universitário, mas não trabalho mais na Universidade.
○ O que você faz?
● Eu organizo safáris para turistas, no Kênia.

○ E o que você está fazendo no Brasil no momento?
● Olha, nós somos especialistas em turismo ecológico e queremos, junto com algumas empresas brasileiras, organizar um programa de turismo ecológico no Brasil.
○ E você acha que tem um mercado para isso?
● Nós temos certeza.
○ Mas você não tem medo que este tipo de turismo vá agravar ainda mais os problemas ambientais do nosso país...

Números   E

12	2	13	30	43	16	60
11	70	76	67	14	40	50
5	86	17	25	19	90	100

Lição 2

D2 Posso falar com o Carlos, por favor?

○ Alô?
● De onde fala?
○ 246 6362.
● Posso falar com o Carlos, por favor?
○ É ele mesmo.
● Oi, Carlos. É o Bruno.
○ Fala, Bruno.

● Amanhã é o aniversário da Paula. Depois do trabalho vamos jantar no Zequinha. Você quer ir?
○ Quero sim. Qual é mesmo o nome do restaurante?
● Restaurante do Zequinha, na rua Pinheiros, entre oito e oito e meia.
○ Tudo bem, mas só vou chegar às 9 horas. Antes não posso.

Lição 3

D1 Informações sobre o Brasil

○ O Brasil é o maior país da América do Sul.
● Eu sei. É um país muito grande. Você sabe qual é a área do Brasil?
○ É um país enorme, quase um continente. Tem 8,5 milhões de km².

● O quê? 8,5 milhões de km²? Puxa! E qual é a população?
○ O Brasil tem 150 milhões de habitantes. 36% da população brasileira tem menos de 15 anos.
● Verdade? 36%! É uma população muito jovem.

○ Veja aqui no mapa. São Paulo é aqui. E aqui é o Rio. Curitiba. Veja, Porto Alegre é aqui no sul.

● Pois é. Os grandes centros industriais estão todos na região Sudeste e na região Sul?

○ É! As regiões sudeste e sul são as mais desenvolvidas.

● E estas regiões aqui em cima?

○ Estas aqui em cima? Estas são as regiões Norte e Nordeste. Essas regiões são menos desenvolvidas. Elas não têm muita indústria. Mas têm praias e cidades muito bonitas.

● Como Salvador, não é?

○ É. Salvador da Bahia, aqui no mapa, veja, é uma cidade velha e muito interessante com sua cultura Afro-Brasileira. Recife, aqui mais para cima, tem um carnaval muito famoso. As praias de Fortaleza e Natal são muito, muito lindas.

● O turismo é importante nessas regiões?

○ É. É muito importante. Mas só na costa. A cada ano essas regiões recebem mais turismo da Europa, dos Estados Unidos, do Canadá e também do sul do Brasil.

Lição 4

D1   Rádio Eldorado

Eldorado FM com Canta Brasil, um oferecimento Hotel Finlândia.

Se você é daqueles que não gostam do carnaval, passe alguns dias longe do barulho e da confusão. O Hotel Finlândia lhe oferece tranquilidade, ar puro e muita diversão: passeios a cavalo, banhos em piscina natural com cachoeira, sauna e a belíssima paisagem das montanhas. Temos um delicioso restaurante com serviço a la carte.

Você pode escolher entre pitorescos chalés e confortáveis apartamentos.

A diária inclui café da manhã e duas refeições. Para fazer reservas, ligue para 555 3636 em São Paulo ou 222 3535 no Rio.

Hotel Finlândia, Penedo: sua nova opção para o carnaval.

Ouça agora Djavan e Caetano...

Lição 6

D2   Adivinhe

Um homem mora no último andar de um edifício. O edifício tem 20 andares. Toda manhã ele toma o elevador e desce até a garagem. À noite, quando volta, ele entra na garagem, estaciona seu carro e toma o elevador. Mas ele nunca vai direto até lá em cima. Ele sobe 15 andares de elevador e depois mais cinco andares pela escada. Mas ontem à noite choveu. Por isso ele tomou o elevador diretamente até seu apartamento, no último andar.

Você sabe por quê?

Lição 7

D2   Entrevista com doutor Pazello

○ 13 horas na rádio Pirata. Agora a entrevista do dia com o doutor Pazello. Boa-tarde, doutor. O verão está chegando, o que o Sr. aconselha aos nossos ouvintes que vão para a praia no feriado?

● Boa-tarde. Todo mundo sabe que o melhor sol aparece antes das 10 da manhã e depois das 4 da tarde. Só que na praia a gente quer acordar tarde, tomar um café da manhã bem consistente e só então deitar na areia para se bronzear. Você até pode fazer isso, mas tome alguns cuidados...

○ Quais cuidados, doutor?

● Como ia dizendo, cuidado com o sol. Use protetor solar com filtro 8, 15 ou mais, se sua pele for muito sensível. Sol direto na cabeça também pode lhe trazer problemas. Use sempre chapéu.

○ E além do chapéu, doutor, que tipo de roupa o Sr. aconselha no verão?

● Esqueça as roupas escuras, os jeans, os sapatos fechados. Seu corpo precisa respirar. Prefira roupas largas e frescas. Quanto mais leve, melhor.

○ Algum cuidado com a alimentação? Uma dieta?

● Não é bem uma dieta. Tome muita água e suco de frutas. Nada de massas e comida pesada. Cuidado com as batidas ou caipirinhas.

Lição 8

D2 Entrevista

○ Bom, podemos chamar o próximo. Você tem a ficha?

● Está aqui.

○ Hm, parece interessante, marketing... jovem... inteligente — Manda entrar!

○ Boa-tarde. Meu nome é Ricardo Fontes, diretor de vendas. Sente-se por favor.

● Boa-tarde, doutor Ricardo. Obrigado.

○ Pela sua ficha, você já trabalhou em vendas. Conte-me um pouco sobre sua experiência.

● Bom, eu trabalhava com o gerente de vendas. Eu cuidava dos vendedores, dos relatórios e da propaganda de alguns produtos.

○ E quais produtos vocês vendiam?

● Material para escritório, sabe? Papel, clipes, canetas, um monte de coisas.

○ Você só trabalhou nesta firma?

● É, já estou há muito tempo lá. Entrei lá logo depois que me formei.

○ E por que quer sair?

● Não sei... Não pagam muito bem e eu estou querendo casar, sabe? Além disso, fico quase o tempo todo fazendo estatísticas de vendas e lendo relatórios dos vendedores. Eu quero alguma coisa mais interessante.

○ Então, prefere que tipo de trabalho?

● Bom, alguma coisa interessante, que seja um desafio: lançar um novo produto, criar uma campanha de propaganda, sei lá! Também quero parar de vender artigos de escritório. Roupas me parecem um bom produto, um produto muito interesante. Sempre gostei.

○ Bom, muito obrigado por ter vindo! Ainda temos umas entrevistas, mas até amanhã terá uma resposta nossa.

● Tá certo. Aguardo a sua resposta. Muito prazer e até logo.

○ Até logo.

● Até amanhã.

○ O que o senhor achou?

● Eu imaginava outra pessoa pela ficha, mas é interessante. Já tem experiência, parece inteligente. Vamos ver. Tem mais alguém?

○ Tem, a ficha está aqui. O nome é...

Lição 9

D1 E agora?

Diálogo 1

○ O quê?!! Não é possível! Eles já chegaram?

Mas que horas são agora?

● São quase 8.

○ Mas quando eu convidei o pessoal eu disse 8 horas! Ai — meu Deus! Estes alemães.

Ninguém está pronto! Vai, meu filho, vai pra sala e fica lá com eles até alguém poder aparecer.

Diálogo 2

○ Você viu a roupa da Lídia? Ela pensa que está na praia. Sainha curta, aquela camiseta, você viu? Sandalinha... só falta a esteira e o bronzeador...

● É! Qualquer dia ela vem trabalhar de maiô.

○ Pois é! Como é que ninguém se incomoda? Alguém precisa dizer alguma coisa para ela. Onde está o chefe dela que não diz nada?

Mas isso é um absurdo!

Diálogo 3

○ Qual é o problema, Magali?

● Você não viu? O Hans chegou.

○ É daí? Você não o convidou para o churrasco?

● Convidei, mas ele chegou com 10 amigos. A carne não vai dar, não vai dar.

○ Calma, mulher, calma! A gente dá um jeito. Eu vou rápido ao supermercado e trago mais uns frangos.

● Ai, meu Deus! Você vai mesmo?

Lição 10

D2 **Nomes**

1 A ficha

○ A senhora tem que preencher a ficha com o nome e endereço completos, número da identidade, e tudo mais.

● Chi... aqui não dá o nome completo.

○ Como assim... não dá?

● Eu me chamo Estela Maria Novais Silva Pereira da Rocha Stacheviski.

○ Ah, mas a senhora põe só o mais importante.

● Mas todos são importantes: Novais Silva é da minha mãe, Pereira da Rocha é do meu pai e Stacheviski do meu marido.

○ Então ponha só o do marido e as iniciais dos outros.

● Ah não! Os sobrenomes dos meus pais são conhecidíssimos! E o senhor disse completo!

○ Mas minha senhora, é o último que conta.

● Ah, não! Assim não dá.

2 Os apelidos

○ Dudu, você foi na festa da Malu?

● Fui.

○ E quem estava lá?

● O pessoal de sempre: o Zeca, com a mulher, o Guto, a Fafá, prima da Malu, o sobrinho do Paulo, o Beto, o...

○ Ué, só tinha homem?

● Claro que não. A Maitê, que você não conhece, estava lá. Ela é irmã do João Carlos..., a Ju..., a Bia... Quando cheguei muita gente já tinha ido embora...

3 A autorização

● Queria uma autorização para viajar com crianças.

○ A senhora é parente?

● Sou. Sou tia deles.

○ Quantas crianças?

● Três.

○ O nome e idade delas.

● Jefferson da Silva, de 5 anos, Lincoln da Silva, de 3 anos e Vilson da Silva, 2 anos.

○ E o nome da senhora?

● Maria Aparecida da Silva Oliveira.

○ Nome dos pais e endereço fixo.

● Minha irmã se chama.... ((fade out))

Lição 11

D2 87 FM

87 FM, música, notícias e serviços 24 horas por dia!

E lembre-se: a nossa cidade depende de todos nós. Siga estes conselhos. Torne a nossa vida mais agradável:

Não jogue papéis ou cigarros na rua! Utilize os cestos de lixo. Não é assim que você faz em casa?

Se possível, deixe seu carro em casa e ande de ônibus ou de metrô. O ar que todos respiramos está cada dia mais poluído e os carros são os maiores culpados.

Saindo de carro, só use a buzina se necessário. O barulho que você faz com ela não vai melhorar o trânsito. Só vai causar mais irritação.

Colabore!

Se cada um de nós se lembrar destas dicas, todos viveremos bem melhor!

E agora ouça a nova composição de...

Lição 12

D2 Dizem por aí...

○ Lúcio, você é mineiro, não é, de onde?

● Sou mineiro de Belo Horizonte.

○ Todo mundo diz que mineiro é fechado, que fala pouco, que não diz o que pensa. Você concorda?

● O mineiro é fechado por causa da — bom porque é uma — realmente uma característica do mineiro, ser fechado, por causa do meio ambiente, né? Porque você sabe que Belo Horizonte é uma cidade cercada por montanhas. Acho que é isso que influencia a personalidade das pessoas que vivem lá em Belo Horizonte.

Agora — o mineiro é um povo muito afável, muito caloroso e muito aberto — quando ele faz amizade ele é uma pessoa muito sincera. Eu acredito que seja uma idéia mais — uma idéia mais preconcebida do mineiro. Ele tem realmente uma certa desconfiança das pessoas que não conhece — mas o aspecto de ele ser desconfiado depende muito do grau de intimidade que se tem com o mineiro.

Em geral são pessoas muito — eh — prestativas, muito simpáticas e muito afáveis — e muito simples também. Principalmente o mineiro do interior. Mas a desconfiança é a falta de segurança talvez do mineiro.

○ E dizem por aí que o mineiro é pão-duro, mão-de-vaca. Você acha?

● Eu concordo. Bom, porque o mineiro geralmente gosta de guardar dinheiro. Dizem que mineiro guarda dinheiro debaixo do colchão. Ele não gosta de abrir mão nem pra jogar peteca — mas é uma característica — principalmente do interior de Minas. E fazer economia em Minas é uma — uma coisa típica do mineiro. Para não gastar. Ele guarda dinheiro para ter segurança que tem dinheiro — mas não aproveita de a — a — as oportunidades de — de gastar aquele dinheiro com luxo porque geralmente — em geral — as pessoas são muito simples em Minas. Mas é realmente uma característica mineira, esta necessidade de se sentir seguro com a posse de dinheiro.

E o empresário mineiro é pão-duro — o empresário mineiro é pão-duro — e as pessoas mais simples também têm uma necessidade de guardar o dinheiro para sentir a segurança — quer dizer, a segurança — quer dizer, sentir a segurança pessoal — não gasta dinheiro, mas sabe que tem aquele dinheirinho guardado em casa. Mas, olha, eu concordo, viu, acho que está certo isso.

Lição 1

1 a) Como é seu nome?/Meu nome é Tuta *ou* Eu me chamo Tuta
   b) Boa tarde!/Como é seu nome? *ou* Como o senhor se chama?/ Como se escreve?

2.1 a) italiano b) francês c) holandesa d) alemã

2.2 Onde/Moro em/portuguesa/Não/Onde/médica

2.3 a) É sim/Não, não é b) Sou sim/Não, não sou c) Sou sim/Não, não sou

2.4 a) Você/o senhor/a senhora é brasileiro/a? b) Ele é brasileiro/alemão/ ...? c) Como é seu nome *ou* Como você/o senhor se chama? d) A jornalista é brasileira/holandesa/ ...? e) Como é seu nome? *ou* Como ela se chama?

3.1 é/sou/é/são/é/Eu sou/Eles são/somos

3.2 Não, não é. O Helmut é alemão/Pat é americana/São sim.

3.3 b) Não, ele não é professor, ele é médico c) Não, eles não são secretários, eles são estudantes.

4 a) falo português b) fala inglês c) fala alemão d) falam francês c) falamos inglês

5.1 a) trabalho no b) trabalha no c) trabalhamos no d) trabalha na

5.2 a) mora em/na b) moram em/na c) moro em/no d) moramos em/nos

6.1 a 1/ b2/ c3/ d4

6.2 Antônio Viganó é casado. Ele é italiano e mora em Milão, na Itália. Ele trabalha na Fiat e é mecânico.
Adelita Martinez é solteira. Ela é argentina e mora em Mendoza, na Argentina. Ela é estudante.
Maurício de Assis é brasileiro. Ele é casado. Maurício é professor universitário e advogado.
Irene Meyer é alemã. Ela mora em Mannheim, na Alemanha. Ela é médica e trabalha no Hospital Municipal.

7.2 John Robert Murray/ ... anos/21 de setembro de 1949/americano/casado/jornalista/New York Times/Brasília/português e inglês/cooper, música popular brasileira e americana

8.1 a) certo b) errado c) errado d) certo

8.2 Clark, Jonn/inglês/Quênia, África/professor universitário/turismo/organiza turismo ecológico

9.1 a) 12/2/13/34/43/16/60

b) 11/70/76/67/14/40/50
c) 5/86/17/25/19/90/6

9.2 trinta dólares/quarenta francos/seis mil pesetas/quarenta marcos

Lição 2

1 Segunda/Terça/Quarta/Quinta/Sexta/Sábado/Domingo

2 a) São quatro e meia. b) São dez e meia. c) São quinze para as dez. d) É uma boa hora. e) São vinte para as quatro. f) São nove e quinze da noite. g) São dez para o meio-dia. h) É meia-noite.

3 A que horas vocês vão almoçar?/A que horas é o filme?/A que horas é o jantar?/A que horas você vai ao médico?/A que horas ele vai ao escritório?

4 a) Não posso. À tarde eu tenho uma reunião. b) Não posso. Às duas eu tenho aula de ginástica. c) Não posso. De manhã eu vou ao supermercado. d) Não posso. Amanhã de noite eu vou ao teatro.

5 a) Ela mora em Curitiba. b) Ela trabalha na Volvo. c) Ela é secretária. d) Ela trabalha no escritório de manhã. e) Ela almoça à uma hora. f) Não, não pode. g) Sim, pode. h) Não, não pode.

6 a) meu, nosso/Estes são os meus, nossos filhos. b) minha, nossa/Estas são as minhas amigas. c) Este/meu/Estes são os meus irmãos. d) Esta/minha/Estas são minhas professoras. e) Este é o meu/Estes são os meus diretores. f) Está é minha/Estas são minhas filhas.

7.1 vamos/vai/vou/vão

7.2 Nós vamos ao cinema às oito horas./Eu vou almoçar ao meio-dia./Ele vai à reunião às dez horas.

8 Podemos/pode/podemos/podem

9 a) pode /posso b) podem/não podem/vão c) podem/vamos d) vai *ou* pode/vai *ou* pode e) vai *ou* pode/vai *ou* pode/vai

10 a) têm b) vai c) tem d) vão e) temos f) vamos g) vão h) têm

11.1 Você está livre terça feira de manhã?/ Pedro vai ao dentista segunda de manhã?/ Quando você vai ao escritório? *ou* O que você faz quinta de manhã?/ Quando você vai ao escritório?/ Quando vocês têm reunião?

11.2 Terça manhã: aula de ginástica, aula de português/ Quarta tarde: escritório/ Quinta 8:00-11:55 escritório/ Sexta tarde: reunião

12 a) — Bom-dia, Édson.
— Bom-dia.
— Você pode ir à reunião geral na quinta-feira às 8 horas?
— Às 8 horas não posso. Tenho um cliente, mas às 9:30 estou livre.
— Então, vamos começar às 10 horas em ponto.
— Tudo bem. Por favor, telefone para confirmar o horário.
b) — Oi, Sandra. Tudo bem?
— Tudo bem.
— No fim-de-semana vou à praia com meus amigos. Você quer ir também?
— É claro! Mas só posso viajar no sábado à tarde. De manhã eu trabalho.
— Não tem problema. Podemos sair à uma e meia.

13 Cara Marina
Como vai, tudo bem? Gostaria de passar o fim-de-semana com vocês, mas não posso porque vou trabalhar no sábado de manhã. Mas vou estar livre no próximo fim-de-semana. Tudo bem?
Um abraço

14.1 Vida na cidade grande.

14.2 1 b) 2 d) 3 a) 4 c)

14.3 as pessoas não vão muito ao cinema, à praia, etc.
as pessoas não tem muito tempo para almoçar.

15.1 a festa de Paula.

15.2 a) c b) e c) e d) c e) e

16 — Quem não enten-   Eu
deu?
— Como se fala ho-   Tarefa
mework em portu-
guês?
— Está claro?   Não, não entendi.
— Soletre, por favor   T - A - R - E - F - A
— Abram o livro-   Em que página?
texto, por favor.
— Tem tarefa?   Sim, faça o exercício E1 no livro de exercícios.

17.1 a) ir ao cinema, ao teatro, ao concerto, ao jogo de futebol, à praia, ao clube, ao shopping/ viajar/dançar/fazer piquenique
b) jornalista, médico, professor, cozinheiro, arquiteto, secretária, enfermeira, artista, motorista, bancário, comerciante, hoteleiro, cineasta, atriz

17.2 senhora/colega/francesa/mulher(esposa)/ irmã/alemã

Lição 3

1.1 Para cinco/Quanto tempo vamos esperar?

1.2 O cardápio,

1.3 vai tomar   Vou.
de   Gosto.
vai   Vou tomar uma batida de ...

2.1 uma salada mista/pernil com farofa/uma cerveja bem gelada/um suco de maracujá bem grande/um filé ao ponto/doce de coco/batata frita/frutas frescas

2.2 Quero um filé ao ponto e batata frita.
Vou tomar uma cerveja bem gelada.
Vou pedir um pernil com farofa e uma salada mista.

3 Querido Alain,
quero convidar você e sua amiga para um jantar brasileiro no sábado, às 8 horas. Vamos começar com um aperitivo, depois um peixe à brasileira e frutas de sobremesa. Vocês vão gostar.
Um abraço
Lúcia.

5 Marina, você tem   Pedro, você tem
sua/seus/seus/suas-   seu/sua/suas/sua/
/suas   seus
nossa/nossa/nossos/nossas/nossos/nossos

5 Eu (não) gosto   da minha casa/da minha cidade/do meu país/de escrever/de política/de ler/de ir ao cinema/de trabalhar/de futebol/de beber vinho/de comida italiana/ ...

6.1 Eles estão com fome/Ela está com sede/O telefone está ocupado/A mesa está livre.

6.2 Laura está no cinema?   Não, ela está na biblioteca.
Alberto está no clube?   Não, ele está no escritório.
Eles estão em Manaus?   Não, eles estão no Rio.
As senhoras estão no restaurante?   Não, elas estão no teatro.

7 Eu quero falar com ela
Nós queremos jantar juntos
Elas querem ir ao cinema
Ele quer comer pizza

8 querem/quer/filé/vai beber/cerveja/gelada/está/está/sede/beber/suco/querem/batata frita e salada/bebem

9.1 1 está/é (ENFERMEIRA) 2 está/está (ATRASADO) 3 está/é (PROFESSOR) 4 está/é (SECRETÁRIA) 5 estou (SEDE) 6 estão/são (GARÇONS)

11.1 Sul e Sudeste/Norte e Nordeste/Recife/Salvador da Bahia/Bahia

11.2 a) 8,5 milhões b) 150 milhões c) 36%

12.2 John T. O'Hara

13.1 a) brócole b) farofa c) caipirinha d) peixe e) sanduíche

13.2 copo, prato, guardanapos, garfo, faca, colher, colherinha/ bule, açucareiro, xícara, xicrinha, colher, colherinha

14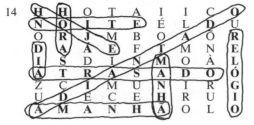

Lição 4

1 Eu quero fazer uma reserva/ Para o dia 18/ Vamos ficar 3 dias./ Apartamento duplo/ Tem muito barulho?/ É para Victor Martin.

2 Estou/simples/Fica/tem/apartamento/cama/fundos/barulho/diária

3 O ar condicionado não está funcionando/é muito barulhento.
A cama é muito dura/tem cheiro de mofo.
A rua é muito barulhenta.
A televisão não está funcionando.
O quarto é muito escuro/tem cheiro de mofo/é muito frio/é muito barulhento/está muito abafado.
O chuveiro não está funcionando/é muito frio.
O elevador não está funcionando/é muito barulhento.

4 a) 2/4 b) 5 c) 2 d) 3 e) 1

5 A "Você entra na rua ..." B "Se o sr. está de carro ..." C "É simples: O sr. continua ..."

6 a) O marido dela está em casa./Seu marido está em casa.
b) Os pais deles moram em Vitória./Seus pais moram em Vitória.
c) As colegas dele são simpaticas./Suas colegas são simpáticas.
d) Você tem o telefone dela?/Você tem o seu telefone?
e) Estes vídeos são deles também./Estes vídeos são seus também

7 a) assistem b) divide/divido/prefere c) permitem/discute/desiste/assisto

8 a) ficar/fazer/quero b) faz/fazem/fazemos/fica c) quer/fico/prefiro

10 O pai está comendo./A mãe está escrevendo./O filho está lendo o jornal./A filha está telefonando.

11.1 Na hora do almoço podem preparar seus pratos preferidos.
Na casa podem viver sem horário fixo/podem preparar seus pratos preferidos.
A família quer receber amigos/pode preparar seus pratos preferidos/pode viver sem horário fixo/prefere a tranqüilidade da casa.
Seus filhos querem receber amigos/podem viver sem horário fixo/preferem a tranqüilidade da casa.
Passar as férias na casa fica mais barato.

11.2 Algumas pessoas preferem passar as férias no hotel. No hotel eles têm mais tempo livre e não precisam arrumar o quarto ou limpar o banheiro. Também não precisam cozinhar: podem ir ao restaurante ou tomar um drinque no bar.

13   1 Onde é/fica o Teatro Amazonas? 2 É perto/longe? 3 A que horas abre o teatro? 4 Preciso tomar um ônibus/táxi? Onde tem ônibus/táxi?

14.1 um anúncio

14.2 a) errado b) errado c) certo d) certo

14.3 sauna/piscina natural/restaurante

14.4 222-3535

15.1 grande/na cidade/três estrelas/moderno

15.2 a) ar condicionado, TV em cores, música ambiente, frigobar, área para não fumantes
      b) serviço à la carte, buffet de feijoada às quartas e aos sábados
      c) quatro salas de runiões com equipamentos

16   categorias: luxo, primeira, muito confortável, médio conforto, confortável, simples, muito simples

     Instalações: chuveiro elétrico ou frio, quarto com pia, telefone, ar-condicionado central, geladeira (em alguns apartamentos), música ambiente, TV, videocassete, calefação central ou individual,piscina térmica ou fria, playground, salão de convenções: capacidade estacionamento, garagem, quadra de futebol e vôlei..., basquete/volei/futebol, canil, cavalos/charretes/bicicletas, churrasqueiras

17   quarenta e quatro mil, duzentos e sessenta e oito/treze milhões, duzentos e setenta e oito mil /doze milhões, quatrocentos e noventa e três mil/setecentos e oitenta e cinco mil/trinta/sessenta e quatro/onze mil, cento e quarenta e um/sessenta e seis mil, oitocentos e trinta e um.

Lição 5

1   B/D/C/A

2   a) úmida/pequena/escura b) agradável c) ensolarado/agradável d) pequena e) caro

3   1-H 2-A 3-C 4-E

4   a) em frente b) em cima c) atrás d) entre e) ao lado/em frente

5.1 a) vendeu/bateu b) bateu/vendeu c) convidaram d) abriram

5.2 viajei/conseguimos/assisti/gostei/conheci

6   recebi/gostam de/gostam/alugaram/vendeu /vai comprar/conhecem/tem/saiu

7   a)-4 b)-1 c)-6 d)-5 e)-3 f)-2

8   a) melhor b) menor c)maiores d) melhores e) pior

9   Querido Paulo
    Estamos bem. Recebi sua carta e também não sei o que fazer. Eu prefiro a casa, porque a vida de família numa casa é muito melhor. Mas eu quero mais informações sobre o apartamento. Quanto custa? Quantos quartos e banheiros ele tem? Tem piscina? Responda logo.
    Um beijo Rita.

10   1 Os homens chegaram às 7 horas. 2 Às sete e quinze eles abriram os armários 3 Às vinte e cinco para as onze eles transportaram as caixas e os móveis para o caminhão. 4 Às onze e meia eles fecharam o caminhão e partiram. 5 O sofá ficou na rua.

11.2 a) c)

11.3 b) Ele vive nas regiões Sul e Sudeste do Brasil d) Ele faz a casa com barro e) Ele mede em geral 20 cm.

12.2 1/3/5/2/4/6

13   a) trocar b)data c) estrangeiro d) casa e) farofa f) abafado g) chuveiro h) ensolarado

Lição 6

1   a) o dia inteiro b) sempre c) de vez em quando d) o tempo todo e) geralmente

2   1. Ele está lavando roupa 2. Ela está cozinhando 3. Ela está dirigindo 4. Elas estão esperando o ônibus 5. Ele está arrumando a cozinha 6. Ele está passando roupa.

3   1 adolescentes 2 faxineira 3 cansada 4 homem 5 mulher 6 serviço 7 profissão 8 cedo 9 empregada 10 cozinheira 11 tempo 12 idade 13 subúrbio

4   foi/fui/fui/foi/foram/foi/fui/foi

5.1 a) fiz/fez b) estiveram/esteve c) tivemos/tiveram d) pude/pôde

5.2 a) fizemos/fizeram b) estive/esteve c) tive/teve d) pudemos/puderam

6   a) deu/dá b) deu/dá c) dei/dou d) demos/damos

7.1 os/os/as/a

7.2 a) lê-lo b) respondê-la c) fazê-lo d) abrí-las e) convidá-lo f) levá-la g) ajudá-los

8   o senhor/você/a senhora/a senhora/o senhor/o senhor/o senhor/você/a senhora/a senhora/o senhor/você

9   1 primavera 2 verão 3 outono 4 inverno/meses/1 janeiro 2 fevereiro 3 março 4 abril 5 maio 6 junho 7 julho 8 agosto 9 setembro 10 outubro 11 novembro 12 dezembro/mês/semanas/semana/dias/1 segunda 2 terça 3 quarta 4 quinta 5 sexta 6 sábado 7 domingo/dia/horas/madrugada/manhã/tarde/noite/minutos/minuto/segundos

10.1 a) 6º parágrafo "O parapsicólogo ..." b) 2º parágrafo "Pedro Lopez nasceu ..." c) 2º parágrafo "Mantém-se atualizado ..." d) 3º parágrafo "Ele próprio não ... por semana" e) 1º parágrafo "Ele mora sozinho ..."

10.2 errado/errado/certo/errado/certo/errado/certo/

11.1 A/D/E/F/H

11.2 H Como ele é baixo, aperta o botão de seu andar com o guarda-chuva.

12

ruim	perguntar	entrada
primeiro	receber	desordem
salgado	ir	trabalho
adiantado	fechar	noite
triste	ganhar	verão
quente	vender	
pequeno		cedo
velho	fora	depois
alto	embaixo	menos
pior	atrás	depressa
caro		
sujo		
silencioso		
claro		
fácil		
feio		

13   fazer: almoço, compras/dar: muito trabalho, aula/ir: para casa, ao cinema/atender: o telefone/pôr: em ordem/ter: muito trabalho, tempo, aula, televisão/voltar: para casa, ao cinema/arrumar: a cozinha/assistir: aula, televisão

Revisão

1.   é (fala/estuda)
2.   vou almoçar/eu almoço
3.   posso/pode/tem que
4.   Minha irmã é holandesa. Esta é nossa professora de inglês
6.   são
7.   somos/falamos
8.   em/na
9.   se chama
10. meus
12. a que horas
13. quando
14. quantas
15. estamos livres
17. é/está
19. do
20. Quanto tempo
21. do/do
23. primeiro, segundo, terceiro
     primeira, segunda, terceira
24. dele
25. dela
27. deles
28. abrem
30. bebemos (ou tomamos)/ comemos
31. faço/faz/fazemos/fazem
32. quero/quer/queremos/querem
33. preferem/prefiro
34. falando
36. sei/sabe
37. visitei/visitou/visitamos/visitaram
38. recebi/respondi
39. venderam/compraram
40. abri
41. mais fria do que o Saara
43. O Fiat é menos caro do que o Rolls Royce. O Rolls Royce é mais caro do que o Fiat.
44. A casa 1 é maior do que a casa 2.
46. flores/No vaso
47. abajur/Em cima da mesa
48. tapete/Embaixo da mesa
49. mesa/Entre o sofá e a poltrona/Ao lado do sofá, da poltrona/...
50. tive/teve/tivemos/tiveram
51. fiz/fez/fizemos/fizeram
52. quiseram/quisemos/pudemos
53. deu/pude/-lo
54. -los

Lição 7

1 cabeça/orelhas/olhos/nariz/boca

2 a boca: comer, falar, respirar, beber, ...
os olhos: observar, ver, ler, assistir, ...
a orelha: escutar, ouvir, assistir, ...
o ouvido: escutar, ouvir, assistir, ...
o nariz: comer, cheirar, respirar, ...
as pernas: andar, correr, ...
a mão: escrever, comer, discar, ler, falar, beber, ...
os pés: andar, correr, ...
os dedos: escrever, comer, discar, ler, ...
a cabeça: pensar, observar, ...

3 1 mão, pé, ouvido, orelha, dedos, coração, ...
2 olhos, nariz, orelhas, ...
3 dedos, orelha, ouvido, ...
4 mão, braço, perna,...
5 boca, estômago, nariz, olhos, mãos, ...

4 1 e/f 2 c/g 3 a/h 4 b/l 5 d/h/k 6 d/k 7 c/i/j
8 j 9 l 10 b/l

5.1 vejo   saio   vi   saí
vê   sai   viu   saiu
vemos   saímos vimos saímos
vêem   saem   viram saíram

5.2 a) vejo/vê b) saem/saíram c) vi d) viram
e) vimos/Saímos/ver

6 a) lhe b) lhes c) lhe d) lhes

7 Uma casa pode ser lindíssima, caríssima,
agradabilíssima, ...
Uma escultura pode ser lindíssima, interessantíssima, feíssima, ótima, ...
Um fim-de-semana pode ser chatíssimo, agradabilíssimo, péssimo, ...

8.1 cinco bocas, cinco corações, três jornais, três
narizes, quatro mãos, dois pés, três olhos, sete
homens.

8.2 Dois homens bonitos são ainda mais difíceis.
Dois olhos azuis são ainda mais agradáveis.
Duas poltronas são ainda mais confortáveis.
Dois meses de férias são ainda melhores.

10 a)3 b)5 c)2 d)6 e)1 f)4

11.1 a/b/c/e

11.2 Você tem que usar protetor solar/É melhor
usar chapéu e roupas largas e frescas, quanto mais leves melhor/Tome muita água e suco de frutas/Não coma massas e comidas
pesadas.

12 triste/nervosa/reservada/inflexível/fraca/feia/tímida/antipática

Lição 8

1 C/A/E/B/D

2 concordar: está certo/é isso mesmo/claro!/
lógico!
não concordar: desculpe, mas .../eu acho que
não/não concordo/como não?/está errado

3 férias: XVII horário de trabalho: XIII direitos da mãe: XVIII crianças: XVIII/XXXIII

4 Ele não trabalhava/Ele tinha poucos deveres/Sua vida era tranqüila/Ele descansava
muito/Ele ficava muito em casa/Ele era mais
feliz.

5 morávamos/saíam/era/vendia/tinham/éramos/andava/escreviam/lia/levantava/dormia

6 eu usava uniforme/eu estudava pouco/eu levantava cedo/eu tinha três meses de férias/eu
morava com meus pais/eu andava sempre de
bicicleta.

7 Não o conhecia. Estava escuro e eu não vi
muito bem como ele era. ... Meu vizinho era
um homem estranho: ele não recebia muitas
visitas, saía muito cedo, não falava com ninguém.

8 a) Quando nós chegamos, eles estavam dormindo.
b) Quando Sandra telefonou, eu estava tomando banho.
c) Quando nós conhecemos Paula, nós estávamos morando em Itu.
d) Quando Ilca entrou na loja, ela estava fechando.
e) Quando eu cheguei ao Brasil, o país era
diferente.
f) O teatro estava vazio quando nós chegamos.
g) Quando você chamou, eu estava ocupado/a.
h) Quando eles casaram, eles ainda eram jovens.

9 b) Enquanto ele procurava os papéis, ele falava.
c) Enquanto nós fazíamos o teste, o professor lia o jornal.
d) Ele cuidava dos filhos enquanto ela viajava pelo Brasil.
e) Vocês assistiam TV enquanto o vizinho estava sendo assassinado.

10 fui/Conheci/tinha/bebeu/passou/fui/cheguei/estava/gostou

11 ... peguei o ônibus às sete e meia. O ônibus
estava cheio e demorou uma hora para chegar ao centro. Na agência de empregos tinha
mais de quinze pessoas na fila. Todas estavam procurando emprego. Fiz um teste. O
teste era difícil. Fiz uma entrevista, mas não

respondi direito às perguntas porque estava muito nervosa. Depois voltei para casa. O ônibus demorou uma hora e meia para chegar ao nosso bairro. Eu estava cansada e com fome. Jantei. Três dias depois a resposta chegou. Foi negativa. Que pena! Como vê, eu ainda estou procurando emprego. Um beijo

     Raquel.

12   1 Juca 2 Marcelo 3 Paulo 4 Luís 5 Airton 6 Nélson 7 Zeca 8 Róbson 9 Edson 10 Mário Róbson chegou em oitavo lugar/Paulo chegou em terceiro lugar/Zeca chegou em sétimo lugar/Marcelo chegou em segundo lugar/Juca chegou em primeiro lugar/Luís chegou em quarto lugar/Edson chegou em nono lugar/Nélson chegou em sexto lugar/Airton chegou em quinto lugar.

14.1 A última ilustração.

14.2 Antes do vôo: 8/3/5 O vôo: 6/9/2/11/7 Depois do vôo: 1/10/4

15.1 Pedro Paulo Ferreira

15.2 errado/certo/errado/errado/certo/errado

15.3 Talvez

16

```
P L A C C A M A W L K O A P A R T A M E N T O L L I E A O
O A R S O B R A D O Z E S T O M A G O R A L E G R E L R L
L R A I R Y Q R A L L E G U M E S R I N D E R D O R E A O
U A S A L U O P F O X A L T O I I F E I J A O D A V P D
R N S O C I A C P E R I O D O I N T E G R A L C E M A O U
M J A E A M C I A R P O S T S Y M O B I F E W E G A D N M
A A M S O O N Q U I N T A L S W C G R O P E R A R I O G U
S X I T I T R A B A L H A R E N A O F L A M I L I O R A S
C I C A D E I R A S X G R E V E B R Y H P P B A P I N A E
H K A N N B G R Z A C U C A R R E D S O O R A D E N T E N
I O L T O R O O B A I X O C O V C O A Z D E D O I M P I S
L R L E E A L Z D E M I S S A O D L U F G S O L O U L U
O A B E L C D A V I D U L A M S X I A L U O M A T O B I A
P E N S A O F A R O F A E I H O R A R I O F L E X I V E L
A H I L F S I M P A T I C O R I O T I M I D O T O N I D A
R A N U I L L A R Q U A R T O N I C O Z I N H A C R O A L
X U A N X R E S E R V A D O S C H O E L L E R R H E I N L
E L R D I A T I V O O F E N H E I M A S T S A L A R A M E
```

A	B	C	D	E
período integral	legumes	estômago	alegre	cama
operário	feijão	dente	alto	apartamento
trabalhar	bife	dedo	baixo	sobrado
greve	farofa	coração	simpático	quintal
demissão	laranja	braço	tímido	cadeira
pensão	filé	cabeça	reservado	quarto
horário flexível	arroz	febre	ativo	cozinha
férias	doce	tosse	nervoso	sala
salário	açúcar	olho	gordo	estante
emprego	sal	gripe	sensual	elevador

Lição 9

1
óculos	anel	camiseta	colar
malha	camisa	short	blusa
cinto	gravata	tênis	conjunto
meia	meia	lenço	saia
	paletó		sapato de
	terno		salto alto
	calça		
	sapato		

2 1 f) 2 j) 3 a) 4 l) 5 c)

3
terno	short	jeans
vestido	camiseta	saia
colar	tênis	
...	...	...

4.1 a) ponho/punha b) puseram c) pus

4.2 a) ponho b) posso c) pôs d) posso e) pomos f)puseram g) podemos h) pudemos i) podíamos j) punha k) posso

5.1 vem/vinha/veio

5.2 vieram/vinham/vir

6.1 a) venho/vejo b) vem/vê c) vimos/vemos d) vêm/vêem

6.2 a) vim/vi b) veio/viu c) viemos/vimos d) vieram/viram

6.3 vindo/vendo

7 vem/vem, ir/vêm, vamos, ir

8 2 Eu faria 3 Eu andaria 4 Eu comeria 5 Eu beberia 6 Eu diria 7 Eu iria 8 Eu pararia 9 Eu iria 10 Eu teria

9 partiremos, subiremos, andaremos, entraremos, dormiremos, sairemos, levarão, poderá, vestirá, usará

11.1 3-2-1

11.2 festa-c/roupa-b/churrasco-b

12.2 a) c b) c c) e d) e e) e

13 1 cinza 2 azul escuro 3 verde 4 laranja 5 roxo 6 azul claro 7 rosa 8 bege

14 branco como a neve/vermelho como camarão/azul como o céu/verde como o mar/preto como carvão/amarelo como ouro

15 uma camiseta amarelo-canário/ouro/manteiga/limão
um paletó azul-piscina/noite
um sapato marrom-café/chocolate
uma blusa rosa-bebê
uma bolsa verde-abacate/uma saia vermelho-tomate/mar/limão

Lição 10

1 b) pai c) mãe d) marido e) avó, sogra f) avô, sogro g) neta, neta h) genro i) nora

2 casados/2,4/vivem juntos/viúvos/desquitados e divorciados/4,8/2,4
menos de 1 salário mínimo/2 a 3/5 salários mínimos e mais

3 a) traz b) trouxeram c) trazem d) trouxe e) traria

4 a) levar/leva/traz b) levar/trouxe/vou levar/trouxemos c) leva/traz d)levei/levar/trago

5 soube/sabia/conhece/conheço/sabe/sabe/conhece/soube/conhecê/sabe/sei b)

6 comeria .../vestiria .../dormiria .../traria .../escreveria .../faria .../cantaria .../construiria .../aprenderia .../saberia .../encontraria .../diria ...

7.1 a) Porque eu já tinha visto o filme.
b) Porque nós já tínhamos almoçado.
c) Porque tinham vindo a pé.

7.2 a) Quando ela ligou, eu já tinha ido embora.
b) Quando eles chegaram, o filme já tinha começado.
c) Quando ele trouxe a pizza, eu já tinha feito o frango.
d) Quando eu quis comprar na liquidação, tudo já tinha acabado.

8.2 ... para conferir se *pusera* tudo ali .../... acho que nunca me *vira* ter idéias .../Então lembrei que *esquecera* de colocar ...

8.3 ... para conferir se tinha posto tudo ali ... ... acho que nunca me tinha visto ter idéias ... Então lembrei que tinha esquecido de colocar ...

9.1 1-f 2-a 3-j 4-c 5-b 6-g 7-i 8-h 9-e 10-d

9.2 a) 6 b) 4 c) 3 d) 10 e) 1 f) 2 g) 7 h) 5 i) 9 j) 8

10 Tudo bem? Soube ontem que você vai ser pai! Meus parabéns!
Fiquei muito feliz porque sei como isso é importante para você.
Espero vê-lo logo. Senão, te desejo muitas felicidades e que seu filho tenha muita saúde.
Um abraço

12.1 3 f) 4 l) 5 h) 6 g) 7 n) 8 i) 9 a) 10 b) 11 c) 12 d) 13 j) 14 m) 15 o) 16 p)

12.2 Parte 1: b
Parte 2: a) 7 b) 3 c) 5 d) 6 e) 2 f) 4 g) 8 h) 1
Parte 5: c
Parte 8: segundo desenho
Parte 12: a

13.1 Pereira da Rocha/Novais Silva/Stachewiski

13.2 Dudu-Eduardo/Malu-Maria Lúcia/Zeca, Zé-José Carlos/Guto-Gustavo, Augusto/Fafá-Fátima/Beto-Roberto/Maitê-Maria Teresa/Ju-Jussara, Jurema/Cida-Maria Aparecida

13.3 Maria Aparecida da Silva Oliveira/sobrinhos/Jéferson da Silva, 5 anos/Lincoln da Silva, 3 anos/Vilson da Silva, 2 anos

14
entrevistar	a entrevista	o entrevistador
imigrar	a imigração	o imigrante
casar	o casamento	---------
divorciar	o divórcio	---------
chegar	a chegada	---------
aposentar	a aposentadoria	o aposentado
ler	a leitura	o leitor
empregar	o emprego	o empregado
estacionar	o estacionamento	---------

15.1 comparável-incomparável/desejável-indesejável/aceitável-inaceitável/calculável-incalculável/imaginável-inimaginável/confundível-inconfundível/definível-indefinível/legível-ilegível/compreensível-incompreensível/possível-impossível

15.2 a) incalculável b) insuportável c) desejável d) inconfundível e) ilegível f) inaceitável g) compreensível

Lição 11

1 ir à praia/fazer windsurf/andar de jet-ski/nadar/pescar/jogar tênis/pintar/jogar basquete/jogar futebol/fazer alpinismo

2 5/4/3/1/2/8/6/7 ou 5/7/3/1/2/8/6/4

3.1 A Pode ser que eu vá dia 20 para Aracaju. B Não sei se vou de ônibus, avião ou carro. C Talvez eu fique na casa da Maria. D Você sabe se lá existe um hotel barato?

3.2 ... vá para Aracaju em janeiro, talvez no dia 20. Não sei ainda se vou de carro, ônibus ou avião. Talvez eu fique na casa da Marina. Talvez eu fique num hotel na praia. Não sei ainda. Você sabe se aí existe um hotel barato? Preciso decidir. Por favor, escreva-me logo.
Um abraço

4 b) assistamos também c) esteja fazendo também d) almoce também f) Tomara que você goste. g) Tomara que você melhore logo. h) Tomara que ela encontre logo.

5.2 Talvez *ou* Pode ser que/Tomara *ou* Espero/Espero que *ou* Tomara que/Talvez *ou* Pode ser que/Tomara que *ou* Pode ser que *ou* Espero que

6 b) Talvez Carlos saiba c) Talvez o rapaz de uniforme dê d) Talvez seja o rapaz alto e) Talvez eu vá f) Talvez esteja no jardim g) Talvez Viviana queira h) Talvez ainda haja florestas

7 venha/esteja/vou fazer *ou* faço/ligue/tenha/está/seja/vou/esteja/seja

8 b) alguém/Não, ninguém. c) algum/Não, nenhum. d) algum/Não, nenhum. e) algo/Não, nada. f) alguém/Não, ninguém. g) algo/Não, nada.

9 b) alguma/Não tenho nenhuma. c) alguém/Não conheço ninguém. d) algo/Não sei nada. e) alguma/Não tenho nenhuma.

11.1 Defenda o verde mas não seja chato.

11.2 Ecoxiitas: os novos extremistas/Não é tão ruim quanto parecia/Irracionalismo

11.3 No Kuwait os incêndios dos poços de petróleo acabaram logo.
Na Amazônia o desmatamento está diminuindo.
Na África há elefantes demais.

12.1 A cidade é você

12.2 a) b) c) e) f)

12.3 a b

Lição 12

1   sul/Brasil/inverno/verão/chuva/ano/rios/ solo/criação/gado/agricultura/região/uva/soja/trigo/indústria/alemã/italiana

2   Norte/Nordeste/Leste/Sudeste/Sul/Oeste

3   a) detesto/não suporto/odeio b) gosta muito/adora c) adoro/gosto muito d) é horrível/detesto/não suporto/odeio e) é chato/detesto f) gosto muito de/adoro/detesto/não suporto g) não suporto/detesto/odeio h) adoro/acho simpático

4
calmamente	livremente
duramente	longamente
docemente	naturalmente
especialmente	nervosamente
facilmente	perfeitamente
fracamente	pessoalmente
friamente	pobremente
levemente	rapidamente

5.1   Eu resolvo meus problemas facilmente/Ela fala inglês perfeitamente/Eles explicam a situação claramente...

5.2   nervoso, calmamente/especial, especialmente/pobres, duro, pobremente/racional, emocionalmente

6   a) bem b) mal c) alto d) depressa e) mal f) baixo g) muito h) devagar

7.1   O fogo destruiu todas as casas, toda a produção do ano, todo o mercado, todos os edifícios, todas as escolas, tudo!

7.2   a) 6 b) 3 c) 2 d) 5 e) 4 f) 1

8   A 645/cada B todas as/cada/875 C todos os/40/cada

9.1   é formada/era habitada/foram trazidos/foram transportados/foram recebidas/era conhecido/foi recebido/são encontrados

9.2   1 Indios, negros africanos e europeus formam a população brasileira.

2 Cerca de um milhão de índios habitavam o país quando os portugueses chegaram ao Brasil.

3 Os colonizadores trouxeram os negros africanos para trabalhar na produção de açúcar.

4 Os comerciantes de escravos transportaram pelo menos 3,5 milhões de negros da África para o Brasil.

5 O país recebeu grande número de imigrantes.

6 Os brasileiros não conheciam os japoneses.

7 Os estados do Sul receberam o maior número de imigrantes europeus.

8 Nos estados do Nordeste e do centro encontram-se em maior número negros e mulatos.

10.1 toda pessoa tem um orixá/o comportamento de uma pessoa é semelhante ao do seu orixá/a pessoa recebe do seu orixá características que marcam sua personalidade, por isso é seu "filho"

10.2 Oxóssi-7 Oxum-3 Ogum-1 Exu-4 Xangô-5 Oxalá-8 Omolu-9 Iansã-6 Iemanjá-10

11.2 O sapo pediu à onça uma gaita/A onça convidou o sapo para nadar/O sapo ficou desconfiado porque a onça nunca andava na frente dele/Para não ser comido pela onça, o sapo fingiu que estava acordado/Para escapar das cobras o sapo fugiu para a lua/O sapo toca sua gaita na lua enquanto a onça fica na terra olhando para a lua.

12.2 um mineiro

12.3 O mineiro fala pouco/é pão-duro/é mão-de-vaca/não diz o que pensa

12.4 concorda basicamente com as afirmações da entrevistadora/ele gosta das pessoas de sua região e explica a atitude delas

12.5 O mineiro é pão-duro porque precisa do dinheiro para ter segurança/é fechado por causa do meio ambiente em que ele vive (as montanhas)/desconfia de estranhos/é aberto com as pessoas que conhece bem/é sincero com as pessoas que conhece bem/é caloroso com os amigos.

13

```
R E G I Ã O R T I G E C U P A Í S O N E E N A S W C M V
I B K D E S M U E L M R T R B H O L A X E N A S U O H E O
O A S U R S L Á P I S I C O R T I N A E N Z A B W T R C C
A U A N S P O L T R O N A F E I L D L R H U U T D M E A A
T A P E T E U Z L U M S V E S T I D O C U S H R A O S B B
U M S G M O S U V E A T Z S R H T M D I M M S O L O T U U
F C O M P R A R I K T P E S O F A C H C F A I P U C I E L
E U S E A D E M E M A R B O G A B D B I E P E I E H E R Á
I E D R N E N G R A O E R W R T O L O J A R Y C B K R R R
N C A V N N K E A L K C H E Q U E A U S N G A E E E I I
C A D E R N O B L H I O R L E A R T S D S A L I V R O
A E K S D A V U L A S I L E I Y N E A T R R R U I L O A
R I A T E A C A A X E S P E L H O I U G E C M A E N R N
T N M I R S B K R R U C H U V A W A N M U R H A L B E I E
A K E R S A U M E S A A E R L A R V E N D E R L E N B E
O U A J C J C T O A K N I I U S A H I C R T I O N S E L
E C I A H U T S M L O L N S N T T S A P A T O A M O S T
M U N E O R O D I N H E I R O U O A K T A W U L A M A T
```

A	B	C	D	E
região	lápis	cortina	loja	vestido
país	caderno	poltrona	comprar	sapato
solo	livro	tapete	cheque	cueca
mar	lousa	sofá	vender	vestir
chuva	professor	espelho	dinheiro	malha
rio	aluno	mesa	cartão	terno
seca	exercício	abajur	preço	blusa
subtropical	vocabulário	armário	pagar	meia

Revisão

R1

1. li
2. cunhado
3. avô
5. difícil
7. mescha
9. irmã
10. jeans, camiseta, tênis
12. magro
13. a boca
14. jornais
15. leite
16. trabalhei, estudei, fui, saí...
17. lojinha
20. gripe, enfarte, resfriado
21. cabeça, olhos, nariz, ...
22. melhore
23. jeans, camiseta, meias, sapatos
24. era
25. morávamos
26. tinham
27. profissão
28. meio-período
31. salário
32. greve
34. décimo-nono
35. amarelo/azul
36. cheque ou cartão
37. pôs
38. vieram
39. vem/vou
41. malha, camisa, blusa de manga comprida, paletó calça...
42. redondo
44. nasci
45. trazer
47. eu soube
48. dei *ou* disse
49. aniversário
52. chegue
53. vá *ou* viaje
54. esteja
55. Norte
56. Rio Grande do Sul
57. mal *ou* melhor
58. Todo
59. Cada um

R2 Ignácio Tinhão corpo: gordo, baixo, careca
roupa: calça listrada, paletó liso, camisa lisa, gravata xadrez, sapatos

Cecília Ramos corpo: baixa, loira
roupa: saia estampada, blusa lisa, colete xadrez, sapato de salto alto

Ignácio Tinhão Filho corpo: jovem, alto, magro
roupa: conjunto de jeans, camiseta estampada, tênis

Karen Meireles corpo: jovem, loira, gorda, alta
roupa: vestido muito curto, sapato de salto alto

R4 lê/acho que/ruim/Santos/couro/azul

R5 Seu curso básico de português do Brasil chegou ao fim. Nós, os autores, desejamos tudo de bom e esperamos que você continue aprendendo.

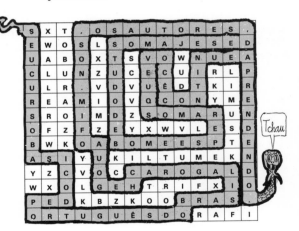

Fontes

Textos

pág. 29 *Hotel Estância*. Anúncio do Guia Oficial de Hotéis

pág. 31 *"O melhor três estrelas"* Guia Oficial de Hotéis

pág. 34 Anúncios. Revista Veja São Paulo. Editora Abril

pág. 40/41 *"João de barro"* de Teddy Vieira — Muibo César. Editora Musical BMG Arabelia Ltda.

pág. 48 *"Pedro, cem anos, vive com otimismo em Ibirá"*. Reportagem de Antônio Higa sobre Pedro Francisco Lopes. 26.07.89. S/A O Estado de São Paulo

pág. 70 *"O Fazendeiro no Ar"*. Do livro *"O Brasileiro Voador"* do Márcio de Souza. Editora Marco Zero Ltda. Novembro/1986

pág. 92/93 *"Férias"* Luis Fernando Veríssimo. De *"Pai não entende nada"* Editores L&PM.

pág. 105 *"A ciência afasta o perigo do desastre global"*. Revista Veja. pág. 78. Reportagem de Eurípedes Alcantara. Editora Abril. Edição 1.203 — Ano 24 nº 41

pág. 114 *"Os santos de cada um"*. Revista Veja. Editora Abril.

Ilustrações

pág. 32 Símbolos e capa do Guia 4 Rodas. Editora Abril/ 1989

pág. 58-60 Ilustrações e gráficos da Revista *"Psychology Today"*

pág. 63 *"Caricatura do Sr. Sarney como pintor"* De Chico, Nova República —

Novo testamento" Editora Brasiliense. 01 de março de 1988, pág. 63

pág. 85 *"Um retrato fiel"* gráfico. Revista Veja, 05 de junho de 1991.

pág. 104 Capa da Revista Veja. Editora Abril. Edição 1.203. Ano 24, nº 41

pág. 114 Ilustrações de Caribé (Hector Paride Bernaboh)

Todas as outras ilustrações e desenhos: Ornaldo Fleitas

Fotos

Lutz e Sybille Rohrmann

Música

pág. 40/41 *"João de Barro"* de Teddy Vieira — Muibo César. Interpretada por Sérgio Reis, © 1.974 by Editora Musical BMG Arabella Ltda.

Impresso nas oficinas da
EDITORA PARMA LTDA.
Telefone: (011) 6412-7822
Av. Antonio Bardella, 280
Guarulhos - São Paulo - Brasil
Com filmes fornecidos pelo editor